A VEZ E A VOZ DAS CRIANÇAS

ESCUTAS
ANTROPOLÓGICAS
E POÉTICAS DAS
INFÂNCIAS

ADRIANA FRIEDMANN

A VEZ E A VOZ DAS CRIANÇAS

ESCUTAS
ANTROPOLÓGICAS
E POÉTICAS DAS
INFÂNCIAS

4ª impressão

PANDA
educação

© Adriana Friedmann

Direção editorial
Marcelo Duarte
Patth Pachas
Tatiana Fulas

Gerente editorial
Vanessa Sayuri Sawada

Assistentes editoriais
Henrique Torres
Laís Cerullo

Assistente de arte
Samantha Culceag

Conselho editorial
Josca Ailine Baroukh
Marcello Araujo
Shirley Souza

Projeto gráfico
Marcello Araujo

Ilustração de capa
Veridiana Scarpelli

Diagramação
Daniel Argento

Preparação
Beatriz de Freitas Moreira

Revisão
Márcio Della Rosa

Impressão
Loyola

DADOS INTERNACIONAIS DE CATALOGAÇÃO
NA PUBLICAÇÃO (CIP) DE ACORDO COM ISBD

Friedmann, Adriana
A vez e a voz das crianças: escutas antropológicas e poéticas das infâncias. Adriana Friedmann. – 1. ed. – São Paulo: Panda Books, 2020. 200 pp.

Inclui bibliografia
ISBN: 978-85-7888-753-7

1. Educação. 2. Formação de professores. I. Título.
Bibliotecário: Vagner Rodolfo da Silva – CRB-8/9410

2020-58   CDD: 370.71
                           CDU: 371.13

2024
Todos os direitos reservados à Panda Educação.
Um selo da Editora Original Ltda.
Rua Henrique Schaumann, 286, cj. 41
05413-010 – São Paulo – SP
Tel./Fax: (11) 3088-8444
edoriginal@pandabooks.com.br
www.pandabooks.com.br
Visite nosso Facebook, Instagram e Twitter.

Nenhuma parte desta publicação poderá ser reproduzida ou compartilhada por qualquer meio ou forma sem a prévia autorização da Editora Original Ltda. A violação dos direitos autorais é crime estabelecido na Lei nº 9.610/98 e punido pelo artigo 184 do Código Penal.

FSC
MISTO
Papel | Apoiando o manejo florestal responsável
FSC® C008008

Sumário

9 Agradecimentos

11 Às crianças de todos os cantos, por Adriana Friedmann

15 Prefácio, por Jean-Pierre Rossie

17 Apresentação

24 Memórias e raízes multiculturais infantis: a importância das histórias de vida

30 **Os essenciais da infância: para início de conversa**
30 Infâncias e crianças
32 Naturezas e culturas infantis
34 Diversidade
35 Multiculturalidade
37 Autoria, protagonismo e participação infantil
41 Adultocentrismo
44 Educação Integral

46 **Infâncias das crianças do século XXI: singulares, universais, complexas, multiculturais**
54 Tempos e espaços para viver as infâncias
55 Crianças na natureza e em zonas rurais
58 Crianças em zonas ribeirinhas
60 Crianças nas cidades
66 Crianças na escola

68 **Expressões infantis: linguagens não verbais, culturas e narrativas diversas**
68 Corpo, gesto e movimento
70 Linguagens artísticas
73 Música
75 Brincadeiras, ludicidade
88 Teatro
89 Literatura, contos, histórias e outras narrativas
90 Sonhos

92 Complexidade do ser criança: temperamentos, interesses e vínculos
94 Temperamentos, necessidades e interesses
99 Ritmos e tempos no cotidiano das crianças
103 Brinquedos e consumo
106 Mudanças nos vínculos, nas relações e nos papéis

110 Olhares diversos sobre as crianças e as infâncias: as crianças e seus mundos
110 Algumas referências e princípios
114 A arte de escutar e observar crianças
130 Outros olhares e camadas de escuta e observação
135 Olhares fenomenológicos, psicanalíticos e microgenéticos

139 Delicadezas do escutar as crianças e seus mundos: respeito, ética, presença e comunicação
139 Ética
147 Caminhos e possibilidades de escuta e observação
162 Princípios: respeito, presença e comunicação
165 Formação de pesquisadores no Centro de Pesquisa e Formação do Sesc São Paulo

172 Perspectivas e desafios: acolher conhecimentos e produções das crianças
174 Desafios dos profissionais
175 Reflexões finais e início de outras conversas...

178 Posfácio
178 Carta de uma criança que ainda há de ser

183 Para saber mais: iniciativas inspiradoras que dão vez e voz às crianças
183 Iniciativas no Brasil
188 Pesquisas, formação e publicações
190 Iniciativas em outros países

192 Referências bibliográficas

Dar voz às crianças: desafio e prioridade,
porque as crianças me inspiram sempre!

Agradecimentos

Aos meus filhos Karen, Andrea e Nicolas, sempre juntos, sempre compartilhando histórias, ideias, projetos, angústias e alegrias: vocês sempre foram e são a principal fonte de inspiração e esperança que cultivo nos seres humanos, nos seus valores e na força dos vínculos e do amor pela vida.

Às crianças com quem já trabalhei, convivi e que tive contato por meio de tantos projetos, comunidades, escolas e organizações por onde passei; e a todas aquelas que não conheci diretamente, mas sim por meio dos meus alunos-educadores: elas têm sido a grande motivação e inspiração de toda a minha obra e do meu ativismo desde sempre, a razão de todo o trabalho que tenho desenvolvido, voltado para a defesa de suas vozes e do direito a viverem infâncias dignas, profundas e significativas.

À Josca Ailine Baroukh, grande parceira de muitas empreitadas e, muito além, queridíssima amiga-irmã com quem tenho compartilhado tantas ideias, inquietações e projetos em longas conversas regadas a cafés, saídas e imenso afeto e respeito: a parteira que ajudou a dar à luz este filhote.

A Jean-Pierre Rossie, antropólogo belga que acompanho há muitas décadas, cujo trabalho admiro e tenho como referência de respeito pelas crianças e suas infâncias: agradeço sua parceria e entusiasmo.

À Casa Tombada, nas figuras de seus idealizadores, Ângela Castelo Branco e Giuliano Tierno, que acolheram de braços e corações abertos o curso de pós-graduação que inspira este livro e onde os temas aqui tratados são efetivamente aprofundados, vivenciados e debatidos: obrigada pelo carinho e parceria cotidiana.

A todos os parceiros que compõem a rede de professores e orientadores que fazem parte do curso de pós-graduação, contribuindo com seus conhecimentos e experiências no enriquecimento deste tema: "Sonho que se sonha só, é só um sonho que se sonha só. Mas sonho que se sonha junto é realidade".

Aos meus alunos, aos atuais e aos de tantos cursos, vivências e palestras que tenho ministrado no decorrer de mais de quarenta anos, os quais se tornaram, cada um a seu modo, meus interlocutores e mestres inspiradores: obrigada pela confiança e pelo carinho que sempre me motivam a continuar.

A todos os que participaram dos grupos de pesquisa que fui formando no decorrer dos anos e que desenharam junto as diversas pesquisas que deram vez e voz às crianças: sem vocês não existiriam tantos olhares e escutas sensíveis e poéticas para as infâncias.

ÀS CRIANÇAS DE TODOS OS CANTOS

por Adriana Friedmann

Gostaria de pedir licença a vocês, crianças, como porta-voz dos adultos, para nos permitirem adentrar e conhecer um pouquinho dos seus universos.

A maior parte de nós esqueceu que um dia já foi criança. Esqueceu o quanto adorava brincar, esconder-se, compartilhar e guardar segredos, brincar de super-herói, de casinha, de médico, de pega-pega, de empinar pipa; enfim, de ficar à toa, rabiscar o mundo, sair disparados correndo ou dançando; o quanto cada um de nós curtia pintar, desenhar, sonhar. Aprendemos muito com nossos pais e avós e, mais tarde, com nossos vizinhos, primos e amigos da escola. Sentíamos receio de não sermos aceitos, de sermos rejeitados pela nossa turma, de levar bronca dos nossos pais e professores. Detestávamos quando éramos pressionados ou quando descobriam nossos segredos e planos – e, pior, quando acabavam com eles. Claro que, como qualquer criança, sempre quisemos ser livres e fazer só aquilo de que gostávamos. Talvez, as maiores lições aprendemos com a dor dos castigos, com as frustrações e rejeições.

Não sei se vocês sabem que, antigamente, crianças tinham poucos direitos e muitas obrigações, raramente eram ouvidas ou podiam dar sua opinião, ou dizer o que sentiam ou o que queriam. Quiçá, os que mais nos escutavam – e continuam a escutar as crianças – eram nossos avós.

Por outro lado, crianças tinham muito tempo, brincavam e conviviam com crianças de idades diferentes, tinham a rua e muitos espaços de natureza sempre perto e disponíveis para brincar.

Hoje, parece que os relógios correm mais depressa e que o dia nunca é suficiente para vocês, crianças, terem brechas para brincar.

Hoje os tempos e corpos estão "tomados" pelos celulares, videogames e conexões nas redes sociais.

Hoje, o mercado lhes oferece muitas promessas de que os brinquedos e outros itens de consumo vão lhes levar "alegria" ou "felicidade", sendo que o que de verdade vocês almejam – mesmo que não tenham essa consciência – é viver plenamente os seus tempos de infância, descobrir e aventurar-se em diversas experiências e, com seus corpos e suas essências, conhecer o mundo, as pessoas e os territórios à sua volta.

Devido a todas essas percepções de como a infância costumava ser, nem faz tanto tempo atrás – aqui no Brasil e mundo afora –, por percebermos como a infância é hoje e pela oportunidade de muitos pesquisadores, ativistas, educadores e profissionais das mais diversas áreas de conhecimento estarem contribuindo com muitas novas descobertas, evidências e experiências sobre as realidades e universos infantis, estamos todos aprendendo o quanto é importante escutar vocês e dar espaço e tempo para que possam se expressar, brincar, conviver, descobrir e viver infâncias plenas.

Temos observado que hoje o tempo livre de vocês, crianças, está tomado por tantas atividades! A pressão é muito grande por parte do mundo dos adultos, que estão ansiosos para que vocês aprendam logo e muito sobre este mundo!

Estão ansiosos para que vocês se preparem para o futuro e não percebem a importância do aqui e do agora, do momento de vida presente de cada um de vocês.

Temos evidenciado que, apesar de tantas conquistas e consciência da importância de garantir espaços amigáveis para vocês, os espaços da rua e da natureza são raros.

E muitos adultos se incomodam com a presença de vocês em determinados lugares.

E vocês têm ficado tristes, doentes, angustiadas, agressivas, muitas vezes.

Mas muitos de nós, adultos – pais, professores, cuidadores, gestores –, estamos descobrindo que vocês possuem um repertório imenso de saberes, códigos, brincadeiras, narrativas e linguagens que nós desconhecemos.

Gostaria de perguntar a vocês, por meio desta carta – como aquelas que se costumava escrever quando existia papel de carta, envelope, caneta e lápis e que eram mandadas pelo correio – se podemos ficar mais perto de vocês, conhecer e aprender suas brincadeiras, conversar sobre suas vidas, construir junto com vocês os sonhos das cidades que queremos, ler e tentar entender, junto com vocês, o que dizem seus desenhos e pinturas, o que vocês querem dizer quando cantam, quando dançam, quando rabiscam e falam sozinhas. Será que podemos aprender, através dos seus olhares, dos seus sentires e das suas vozes, quem vocês são de verdade?

Sabe, muitas vezes os adultos olham para vocês e é como se estivessem na frente de um espelho que faz com que eles se lembrem de que um dia também foram crianças e que tinham sonhos, tempo e muito para conquistar.

Mas vou contar um segredo: a bem da verdade, todos os adultos levam viva, dentro de si, a sua criança e um baú repleto de memórias.

E vocês nos evocam essas lembranças e a importância dessa fase da vida – a infância – cada vez que conseguimos nos conectar verdadeiramente com vocês.

Agora, queremos caminhar para oferecer a vocês mais tempo, espaços, ouvidos atentos, olhos de ver e nossa inteira presença para, com muito vagar, vocês nos guiarem pelos seus mundos e, a partir das suas vozes e expressões, nos darem a oportunidade de nos deixar levar por vocês para aprender o que cada uma tem a nos contar e a nos ensinar.

Nós, adultos, temos nossos saberes.

Mas vocês têm saberes que nós desconhecemos e tantos outros que esquecemos.

E com todos esses saberes infantis, queremos contribuir para poder melhorar nossas cidades, nosso dia a dia, nossos espaços e enriquecer a educação e a cultura da vida de toda a sociedade.

Vamos juntos?

Então nos dão licença para olharmos pelas frestas das suas vidas e conhecer mais sobre vocês?

PREFÁCIO

por Jean-Pierre Rossie[1]

O livro *A vez e a voz das crianças: escutas antropológicas e poéticas das infâncias* abre várias perspectivas, pois trata-se de um estudo pedagógico e científico, de um tratado filosófico e ético de ações educativas e socioculturais.

É notável discutir tantos temas e contextos e conseguir integrar nesse esforço a continuidade e a mudança. Este livro não mergulha em absoluto na nostalgia por uma infância do passado, quando ser criança era menos dominado pelo mundo dos adultos e pela indústria de brinquedos, do entretenimento e da mídia. Ao contrário, a autora nos fala especialmente das crianças do mundo de hoje, tão diversificadas, mas ao mesmo tempo sob a influência da globalização e da informatização.

Adriana Friedmann nos oferece uma análise das crianças, suas condições de vida e da diversidade de ambientes ecológicos, culturais, educacionais e sociais em que crescem. Embora ela cite muitos problemas vividos pelas crianças,

---

[1] Jean-Pierre Rossie é antropólogo sociocultural e pesquisador associado do Centro de Estudos Filosóficos e Humanísticos da Universidade Católica Portuguesa (https://ucp.academia.edu/JeanPierreRossie).

assim como pelos pais, educadores e outros adultos envolvidos, não se limita aos aspectos negativos, mas aponta também os aspectos positivos das crianças e dos seus entornos.

No capítulo "Olhares diversos sobre as crianças e as infâncias" há um vislumbre instrutivo sobre o desenvolvimento da antropologia e da sociologia das crianças e da infância. O capítulo seguinte, sobre os aspectos éticos e metodológicos da pesquisa com crianças e sobre elas, é muito importante. No final deste livro, Adriana propõe uma discussão útil e detalhada sobre as práticas de escuta e observação de crianças e de seus ambientes.

A mensagem fundamental de *A vez e a voz das crianças* é de não só respeitá-las e tornar-se aprendiz do que elas pensam, acreditam, comunicam e criam, mas também de respeitar seus segredos.

Pessoalmente estou convencido de que as crianças desempenham um papel ativo e importante na aprendizagem, transmissão e adaptação de muitos aspectos relacionados ao desenvolvimento dos indivíduos, das culturas e das sociedades e que, portanto, é necessário não apenas promover seus direitos, mas também valorizar suas contribuições. Nessa perspectiva, este livro constitui uma obra maior.

APRESENTAÇÃO

Nascem crianças todos os dias,
a toda hora, em todos os cantos.
Crianças são um milagre da natureza,
seres únicos e complexos de decifrar.
Infâncias já se tornaram construtos culturais
que integram famílias e comunidades diversas.
Para alguns, crianças são uma alegria,
para muitos, grande mistério,
para outros, um estorvo...
E nos debatemos entre acolhê-las do jeito que são
ou adaptá-las, mesmo que não se encaixem...
Crianças mal imaginam o quanto revolucionam nossas vidas
quando elas chegam neste mundo!
A cada criança que nasce,
a vida e o mundo começam mais uma vez
e nós, adultos, nos surpreendemos, nos questionamos,
nos aventuramos por caminhos que nos ajudem a entendê-las.
Muitos olhares, muitos colos, muitas expectativas,
muitos palpites, muitas regras.
Mas afinal, sabemos o que habita
na alma e no coração de cada criança?
Só poderemos descobrir deixando-as serem quem são,
só deixando-as viverem suas infâncias!
Desafio para todos nós!

Inúmeros segmentos da sociedade têm lançado luz sobre a área da infância e das crianças. Há longas-metragens, sites, vídeos e documentários, exposições fotográficas, estudos, pesquisas e publicações sobre crianças, prêmios, editais, concursos. Enfim, uma lista interminável de atores e segmentos sociais que, a partir de estudos, interesses específicos, informações e conhecimentos disponíveis, têm colocado o tema infância e as crianças como prioridade, bandeira e até modismo.

Inúmeros aspectos, temas e objetos de interesse têm pautado as agendas desses diversos atores sociais: a qualidade de vida das crianças; a importância de espaços livres e junto à natureza; a diminuição do consumismo; propaganda imprópria; hiperestimulação; pressão escolar precoce; agendas lotadas; hipnotismo e as incontáveis horas cm que as crianças ficam grudadas em frente às telinhas; terceirização do cuidado das crianças pelas famílias; falta de referências quanto à educação dos filhos; ausência de segurança em inúmeros contextos e situações; questões de alimentação inadequada e doenças que têm afetado as atuais gerações de crianças; questões de gênero; reflexão e busca de adultos pelo equilíbrio entre o tempo livre e as atividades direcionadas às crianças. Uma relação de temas, realidades e polêmicas que não se esgotam por aqui e que não param de crescer.

Projetos, programas governamentais, estaduais ou municipais têm sido oferecidos nos mais diversos espaços, ambientes e organizações, assim como uma ampla rede de mobilização e campanhas defendendo os direitos na área da infância são destaque na mídia. O foco e os investimentos de esforços e recursos no aprimoramento e adequação de propostas educacionais para as crianças nos séculos XX e XXI – tanto em instituições escolares, espaços públicos e comunitários, quanto a partir de iniciativas não formais – mostram-se a tônica no panorama das infâncias no Brasil e no mundo.

Novos conceitos e ações têm trazido à tona as significações que as crianças atribuem aos diversos aspectos do estilo de vida que levam, considerando comportamentos, representações e contextos de naturezas múltiplas. Mas, assim como há propostas sérias, conscientes e comprometidas, os modismos também se instauram e povoam redes sociais, discursos e, muitas vezes, se tornam *oportunidades de negócios*, de interesses ou de promoção de diferentes grupos sociais.

Muitos recursos têm sido investidos ao longo das últimas décadas em programas, espaços, projetos e produções. Infelizmente, na sociedade brasileira, as raízes e as histórias são facilmente descartáveis, esquecidas, voláteis. Assim, tempo, recursos humanos, ideias criativas e adequadas para os diversos segmentos que dizem respeito à vida das crianças têm tido vida curta. E quem é mais afetado, afinal, na ponta? As crianças, suas famílias e as comunidades em que moram, crescem e se desenvolvem.

Nesse sentido, escutas e pesquisas com crianças constituem uma pauta urgente para adentrar e compreender seus universos e poder (re)conhecê-las em suas diversidades e singularidades. No caminho de observar, escutar, dar voz a elas e propiciar espaços de expressão, é necessário reconhecê-las como atores sociais, apontando a pluralidade de suas culturas e linguagens. Possibilitar que crianças vivam plenamente suas infâncias a partir de suas expressões e ressignificar ações adequadas a interesses e necessidades dos diversos grupos infantis – na família, na escola, na comunidade – é o grande desafio que se apresenta para a vida e a educação das novas gerações.

A partir dessas premissas, como educadora e antropóloga, tenho promovido, no decorrer de mais de quarenta anos, inúmeros cursos de formação e orientação de pesquisadores e educadores em processos de escuta, observação e conhecimento de crianças, de suas linguagens, atividades e comportamentos em vários grupos infantis. Entre 1980 e 2000 me debrucei como ativista, formadora, pesquisadora e escritora sobre as temáticas do brincar, dos espaços lúdicos e do desenvolvimento integral das crianças. Movida pela minha inquietação de dar voz às crianças, a partir da década de 2000 comecei a desenvolver processos de formação e pesquisas sobre esse tema, como cursos de antropologia da infância e processos de escuta, observação e pesquisas com crianças, nos formatos de cursos de pós-graduação *lato sensu* (em faculdades) e cursos de extensão; pesquisas elaboradas pelo núcleo de estudos que coordeno, o Núcleo de Estudos e Pesquisas em Simbolismo, Infância e Desenvolvimento (NEPSID)[2]; cursos e pesquisas desenvolvidas no Centro de Pesquisa e Formação (CPF) do Sesc São Paulo e na comunidade de aprendizagem Mapa da Infância Brasileira[3], onde desenvolvemos pesquisas entre diversas comunidades

---

2 Disponível em: http://www.nepsid.com.br/. Acesso em: 9/10/2019.
3 Disponível em: https://www.facebook.com/mapainfanciabrasileira/. Acesso em: 9/10/2019.

e grupos infantis e promovemos movimentos e campanhas, consultorias e publicações em diversos meios e palestras dentro e fora do Brasil.

Todas essas propostas têm o intuito de estimular diversos profissionais a levar para suas práticas o desafio de observar, escutar e compreender as mensagens que crianças de diferentes contextos e culturas nos apontam a partir de suas expressões verbais e não verbais.

O desenvolvimento de processos e de desenhos de caminhos e possibilidades de escuta e o reconhecimento dos repertórios e saberes das crianças constitui um campo de conhecimento que dá seus primeiros passos. Investir e se aprofundar em tais processos de escuta e pesquisa abre a possibilidade de – com os resultados e as produções obtidos – construir novos conhecimentos, originados a partir das vozes e expressões das próprias crianças.

Esse desafio se torna ainda maior em face de uma necessária e urgente mudança de postura por parte de educadores, gestores, cuidadores, estudiosos e pesquisadores: mudança ética e metodológica a partir da qual os adultos se tornam, em algumas situações, *aprendizes e ouvintes*, e que provoquem todos nós a exercer verdadeiro respeito pelas crianças. Essas mudanças mexem estruturalmente com propostas levadas para crianças em todos os âmbitos e espaços, e trazem questionamentos a respeito do papel dos adultos nas relações com elas – nos processos educacionais, no desenho de currículos, programas, projetos e outras atividades.

Tais mudanças implicam repensar como adequar espaços, tempos e atividades para os diversos grupos de crianças que vivenciam seus cotidianos nos âmbitos das famílias, escolas, ruas, comunidades, clubes, centros culturais, museus, hospitais, centros de saúde e tantos outros equipamentos frequentados por elas.

Dar continuidade a pesquisas mais extensas e profundas e a processos de escuta com uma diversidade de grupos infantis precisa passar a fazer parte do cotidiano das práticas de educadores, gestores e cuidadores para de fato avançarmos na construção de conhecimentos a respeito das diversas infâncias, suas linguagens e culturas. Dessa forma, podemos repensar as práticas socioeducacionais e incluir toda e cada criança nos grupos de educação formal e não formal dos quais participam, elucidando suas diversas idiossincrasias, realidades, potências, necessidades, interesses e individualidades, no caminho para a construção de uma sociedade mais saudável, equilibrada, baseada na equidade, no respeito e na ética; uma sociedade onde todos – e agora também as crianças – possam ter vez e voz.

No decorrer de tantas décadas debruçada sobre esses estudos e pesquisas, fui conhecendo e reunindo referências nas inúmeras temáticas que dizem respeito à escuta e às pesquisas com crianças e que têm sido apontadas por vários estudiosos, pesquisadores e ativistas. Muitos dos materiais de referência podem ser consultados na Plataforma de Pesquisas – A Casa Tombada[4], espaço de arte, cultura e educação, onde coordeno o curso de pós-graduação que criei, "A vez e a voz das crianças"[5].

---

4 Disponível em: http://plataformapesquisas.acasatombada.com.br/. Acesso em: 10/10/2019.
5 Disponível em: https://acasatombada.com.br/a-vez-e-a-voz-das-criancas/. Acesso em: 10/10/2019.

Alguns trechos deste livro já foram objeto de artigos e entrevistas publicados em diversos meios, no decorrer dos últimos dez anos. Reunir, atualizar e ressignificar esses conteúdos na presente publicação, ao lado de outros temas que compõem esta obra, constitui uma importante contribuição para tantos desafios que se apresentam, no que diz respeito ao conhecimento das realidades e produções culturais dos universos infantis. É, para mim, a oportunidade de reunir conhecimentos, experiências e aprendizagens e compartilhá-los com os interessados para estimular trocas, diálogos e novas pesquisas.

MEMÓRIAS E RAÍZES MULTICULTURAIS INFANTIS
A importância das histórias de vida

Sonhar criança, sonhar infância.
Acolher no mais profundo de nós
aqueles esconderijos secretos,
onde as paisagens aparecem fidedignas
na tela da nossa mente.
A emoção continua viva!
Evoco aquele lugar caloroso, aquele colo perfumado,
aqueles abraços que me davam segurança,
aquelas sensações às quais já não poderei voltar...
Será que não? Posso sim!
Posso voltar e me aconchegar sempre que quiser,
porque ali mora a essência que me constitui,
os afetos que alimentaram minha vida!
Os que me deram certeza de ser amada e aceita
e os que me fizeram duvidar do meu valor.
Nesses cantos da minha memória,
moram meus brinquedos e meus amigos invisíveis
que sempre me acompanharam.
Ali moram as mil histórias e canções
que ouvi e que me povoam.
E moram figuras familiares e vozes e olhares
que ainda ressoam dentro de mim.
Moram também meus medos, minhas transgressões,
meus fantasmas e (des)obediências,

*as mil perguntas e desejos
que sempre me acompanharam.
Agora entendo que a minha infância
é o único lugar aonde sempre, sempre poderei voltar.
Que sou quem sou porque fui aquela criança.
Só me resta reverenciar aquela minha infância!*

Como esquecer ou ignorar as histórias de outros seres humanos? Conhecer a história e as histórias das infâncias é fundamental para compreender como evoluímos, como nos constituímos e até como, em alguns aspectos, ficamos estagnados ou regredimos como seres humanos. Sem as referências do passado é impossível compreender e aprofundar o presente e avançar para o futuro. Sem referências, afundamos, mesmo que acreditemos que estamos *descobrindo a pólvora,* inovando! Referências dizem respeito a pessoas e grupos que já vivenciaram determinadas situações, que já passaram por um ou outro lugar: pessoas e grupos que foram protagonistas e escreveram a história da humanidade, de quem herdamos as raízes, valores e culturas.

As histórias de vida e as narrativas autobiográficas dizem tanto de cada ser humano! Às vezes, são contadas por um terceiro. Então, acrescentam-se à história o ponto de vista e o recorte do autor. Outras vezes, é o próprio protagonista que conta sua história. Mas, claro, ele também faz seus recortes. Nunca iremos conhecer e compreender o ser humano nas suas mais profundas emoções, vivências e contradições haja vista a imensa complexidade que somos todos nós!

Revisitar a nossa própria biografia, o percurso de vida ou recortes de alguns períodos ou episódios, assim como conhecer narrativas de vidas alheias, abrem portas sensíveis para o mergulho na existência de tantos seres humanos. Afinal, somos curiosos por natureza, de certa forma, antropólogos por natureza e, às vezes, por ofício. Escutar, observar, ler a vida dos outros – que também somos nós – é uma fascinante viagem às histórias, alegrias, desventuras, caminhos de tantas existências! Podemos nos identificar com jeitos de ser e de viver, com recortes de vidas, com emoções, lugares, paisagens, cheiros, gostos, vínculos... Podemos sofrer ou nos alegrar junto, acompanhar, como em uma viagem, os diferentes percursos relatados.

Ler um livro, cartas, assistir a um filme, a um documentário ou a uma entrevista, escutar uma música, acompanhar um espetáculo de dança, admirar uma obra de arte, ler uma poesia: cada expressão, verbal ou não, diz do seu autor. Diz tanto que, muitas vezes, ficamos paralisados, comovidos, sem palavras, nos sentimos identificados, compadecidos, motivados, inspirados. As vozes dos outros ecoam de alguma forma dentro de cada observador, leitor, ouvinte. Essas são as conexões e trocas que nos humanizam pela possibilidade de nos colocarmos no lugar de outro, que é também um pouco de nós mesmos. Olhar, conhecer e reconhecer a vida do outro é um passo para chegar mais perto do que seja verdadeiramente humano.

Quando provoco meus interlocutores a escutarem e observarem as crianças, acredito que isso só é possível se escutarmos, observarmos e resgatarmos, antes, a criança que fomos um dia, a criança dentro de nós. Podemos começar com um diário pessoal. Ecléa Bosi, em sua inspiradora obra *Memória e sociedade: lembranças de velhos* (1994), nos ensina que a memória não é linear: ela brota em fragmentos, não necessariamente sequenciais. A memória emocional é bem diferente da dos acontecimentos; pode ser a emoção, porém, que puxe tais acontecimentos! Como eles vêm à tona? Muitas vezes há um disparador externo.

> **PARA REFLETIR**
>
> Um sonho, uma situação de déjà-vu, um encontro,
> uma leitura, uma imagem, uma foto.
> Ou perguntas:
> O que eu gostava de fazer?
> Quais foram os afetos da minha infância que me marcaram?
> Quais eram meus lugares favoritos, meus segredos,
> meus amigos, brincadeiras, objetos ou brinquedos preferidos?
> Que valores se cultivavam no meu lar?
> Lembrar-me de contos, costumes, músicas,
> brincadeiras, comidas, perfumes,
> jeitos de me relacionar,
> jeitos de amar e ser amado, crenças, rituais.
> E o que relembro ter herdado e vivenciado
> com meus pais, avós, com minha família?
> Histórias, sabores, valores, objetos marcantes... ∎

E as feridas? Muitas passam na tela da nossa mente como se estivessem acontecendo aqui e agora. Outras voltam, muitas vezes, profundamente inconscientes. Quantas frases ou comportamentos a gente *repete*, como se aquele jeito, aquele trejeito, tivesse ficado impregnado em nossa alma! Outras tantas, a gente *rejeita* ou faz o oposto pela repulsa que aquela palavra, aquela expressão, aquele gesto, aquele grito nos causavam. Tantas e tantas situações que ficam no passado e das quais sentimos imensa saudade e gostaríamos de reviver ou resgatar! No dia a dia pode parecer inviável fazer esses resgates, mas é possível, sim; sobretudo no nosso mundo interior: o lugar mais íntimo, sagrado, secreto e inspirador. E os desejos que ficaram reprimidos, esquecidos? Talvez nem mesmo conscientes?

> **PARA REFLETIR**
>
> O que parei de fazer e adorava? E por quê?
> Fui tolhido, fui pressionado, fui impedido?
> Sofri um trauma, algum impacto que me paralisou?
> Não havia mais tempo para pintar, para cantar, para dançar?
> Para encontrar meus amigos, para escrever?
> O que me tirou da minha estrada?
> E o que continuei fazendo na idade adulta,
> mesmo que longe do meu espaço de infância?
> Quais as primeiras impressões, brincadeiras,
> imagens, brinquedos da criança que fui?
> Quais eram meus espaços preferidos na casa onde cresci?
> Onde e com quem brinquei na rua, no meu bairro, na minha
>   [cidade?
> A brincadeira ou as atividades que povoavam a minha infância
> nas férias eram diferentes daquelas durante o ano escolar?
> Variavam da casa dos meus pais para as dos meus avós?
> E na escola, no recreio, nos entretempos e entre os lugares,
> onde reconheço as marcas
> que ficaram impregnadas na minha vida?
> E as viagens, os percursos a pé, de transporte público,
> de bicicleta, de carro, de barco ou de avião,
> o que me ensinaram?
> Para onde meus olhares e interesses apontavam?
> Quem eu era? Quem sou hoje?
> O que ficou pelo caminho?
> O que permaneceu? ∎

Importante insistir que nunca é tarde demais para retomar a nossa essência, nossa alma, nossos mais profundos segredos e desejos. Sempre é tempo para relembrar e refletir sobre as perguntas anteriores. É necessário para reintegrar nossa saúde física e psíquica.

Se realmente estamos dispostos a escutar as crianças, precisamos abrir esses espaços de escuta e autoconhecimento dentro de cada um de nós. James Hillman (1926-2011), psicoterapeuta junguiano norte-americano, aprofunda-se, ao longo de toda a sua obra, na psicologia da alma e dos arquétipos. Em seu livro *O código do ser* (2007), ele insiste nessa essência única que mora em cada indivíduo. Revisitando recortes das infâncias de diversas pessoas conhecidas ou não, ele vai apontando como é no período da infância que aparecem *sinais* que dizem dessa essência individual. Os corpos falam por meio das doenças ou habilidades, de comportamentos que para nossa sociedade *civilizada* podem parecer estranhos ou que não se adaptam às regras preestabelecidas – agressividade, introversão, hiperatividade, diversidade de preferências, transgressões, habilidades, dons. Enfim, os sinais manifestam-se de forma cotidiana por meio de muitas formas expressivas. Mas é fato que poucos são os adultos que se detêm para escutar ou para tentar elucidar o que esses sinais e manifestações dizem, comunicam, expressam. E é bem ali que moram as sementes da alma profunda de cada um, daquilo que sinaliza o caminho da individuação de cada ser humano.

Se for possível relembrar, em nossa própria biografia, esses sinais – ou nas histórias e narrativas de vida de outros seres humanos –, criamos possibilidades de abrirmos brechas para identificar, conhecer e reconhecer sinais nas crianças com as quais convivemos.

OS ESSENCIAIS DA INFÂNCIA
Para início de conversa

Quais são os "essenciais" da infância?
Poderemos, talvez, descobri-los
por meio dos sonhos das crianças, das suas
emoções, das falas dos seus corpos, dos seus desejos,
das suas resistências, das suas potências, das
suas particulares e únicas formas expressivas, das suas
tendências, dos seus temperamentos, dos seus valores.
O segredo está em aprender a escutar e a ler essas "falas".
Mas só se as crianças nos derem licença...
É o convite que faço neste livro!
Labirinto de possibilidades...

É imperativo começar explicitando conceitos que, no decorrer dos anos, com renovados estudos e pensadores, foram evoluindo e se transformando. A partir de inúmeros estudos e teóricos apresento, a seguir, alguns conceitos básicos, pontos de partida para as reflexões tecidas nesta obra.

Infâncias e crianças

Infância – É nessa fase do ser humano que tudo começa, tanto o que é da natureza genética quanto o que decorre das relações e dos vínculos que cada pessoa estabelece com seu entorno: os espaços de convivência; os atores com que cada um interage; cada olhar; cada gesto; cada atitude de empatia, antipatia ou indiferença; cada estímulo; excessos ou faltas; aconchego; frieza; rejeição; afetos ou violências; objetos; mobiliários; climas; ritmos ou a falta deles; alimentação; cuidados com a higiene; culturas; músicas; costumes; vestimentas; rituais; brincadeiras; valores.

Esses e outros fatores interferem significativamente nos primeiros anos de vida, de forma dinâmica, na formação de cada indivíduo, fase em que as crianças mostram e se expressam de maneira mais pura, menos contaminada e mais transparente, seus potenciais, emoções, dificuldades, medos e tendências. As faixas de idade que constituem a infância propriamente dita variam demograficamente, sucedidas pela adolescência, idade adulta, terceira idade etc.

O conceito de infância está sempre em construção e varia conforme cada realidade e grupo infantil. Uma pergunta recorrente é qual seria o período – faixa de idade – considerado "infância". A definição desse período varia conforme o contexto, local geográfico, cultura e tempo histórico, de acordo com o grupo sociocultural no qual as crianças estão inseridas: se lhes é permitido brincar livremente; se brincam e têm autonomia nos primeiros anos de vida; se bruscamente ao entrar no Ensino Fundamental o tempo livre de viver a infância é interrompido por pressões, múltiplas tarefas ou outras atividades. Ser criança e viver a infância depende muito das referências e expectativas da família, da escola e da comunidade em que cada uma cresce.

Criança – A conotação desse campo é de ordem psicológica. Com efeito, nas disciplinas originadas da psicologia comportamental, o discurso que trata das "fases de desenvolvimento" da criança adquiriu marcante legitimidade. Nessa linha, há um "ideal" de criança e as teorias de desenvolvimento foram fundamentais desde o início do século XX, para o estabelecimento de parâmetros de "normalidade" que pautaram e orientaram pais e educadores a partir da década de 1940 até os dias atuais.

Os parâmetros de normalidade foram mudando no decorrer da história com o advento dos direitos universais e dos avanços da psicologia do desenvolvimento. Mesmo assim, ainda hoje, tais parâmetros variam de uma cultura para outra. O contexto sociocultural tem grande influência no estabelecimento desses estereótipos.

Crianças – Trata-se aqui de um terceiro campo, este de cunho antropológico. Os indivíduos reagrupados sob esse nome constituem "territórios", no sentido literal, com características específicas, conforme tempos e espaços, com suas estruturas e modelos de comportamento particulares, seus gêneros de vida e sistemas de ação construídos pelos próprios atores. Segundo esse paradigma, as crianças devem ser consideradas uma população ou um conjunto de populações com plenos direitos, traços culturais, ritos, linguagens, "imagens-ações".

Naturezas e culturas infantis

O debate travado no âmbito das ciências sociais – no que diz respeito ao que é da natureza do ser humano e ao que é da cultura – constitui um tema sempre atual. Na área da infância é essencial aprofundarmos essas reflexões. Para tal, escolhemos como ponto de partida as reflexões de alguns pensadores que se debruçaram sobre esse tema.

O biocientista Boris Cyrulnik e o pensador e sociólogo Edgar Morin, em sua obra conjunta *Diálogo sobre a natureza humana* (2013), discutem a respeito da relação entre natureza e cultura nas vidas dos seres humanos. James Hillman, no livro *O código do ser* (2007), aponta a natureza única e os dons de cada indivíduo.

A dicotomia entre natureza e cultura, debatida por psicólogos, filósofos e antropólogos, elucida, no que diz respeito à *natureza*, o aspecto biológico: a herança genética que cada ser humano carrega; já a *cultura* é um conceito complexo e pode ser compreendida, dentre inúmeras análises, tanto como um patrimônio herdado por meio da transmissão oral de tradições, quanto uma construção enriquecida de forma permanente. Essas duas "heranças", transmitidas por meio de diversas linguagens, não podem ser consideradas simplesmente "opostas", dada a complexidade que é o ser humano. Elas precisam ser olhadas como uma duplicidade que está inscrita na linguagem.

Na infância ocorrem processos de produção e de reprodução cultural, sistemas simbólicos acionados pelas crianças, que dão sentido às suas experiências. Pesquisas desenvolvidas sobre brincadeiras tradicionais e populares – expressões das culturas infantis – apontam o quanto as culturas se transformam de forma permanente, com o contexto cultural constituindo um sistema simbólico imprescindível para entender o lugar das crianças: elas recriam a sociedade a todo momento, exercendo papel ativo na definição de sua própria condição. Há crianças em toda parte e podemos conhecê-las adentrando suas vivências, diferentes em cada lugar. A compreensão de seus universos particulares só é possível a partir do entendimento de seus diversos contextos socioculturais.

Além da herança genética recebida por todas as crianças, elas são também atores sociais e produtoras de culturas – não somente suas reprodutoras ou consumidoras. É fundamental pensar, então, em culturas múltiplas, diversas, particulares e, ao mesmo tempo, universais. Nas culturas infantis instauram-se ideias, valores, costumes e conhecimentos que as crianças expressam por meio de suas múltiplas linguagens.

O desafio que aponto nesta obra é, justamente, conhecer, reconhecer e desvelar as naturezas e culturas das quais as crianças dos mais variados tempos e espaços são portadoras e que as constituem como seres humanos únicos, singulares e multiculturais.

Diversidade

Experiências individuais, coletivas, culturais e universais são as que fazem a diversidade existir. Vivemos tempos em que precisamos mudar a nossa referência sobre "infância", "criança" e "cultura" para incorporar a dimensão da existência de diversas "infâncias", inúmeras "crianças" e multiplicidade de "culturas". Não se trata somente de uma mudança semântica, mas, sobretudo, conceitual e de postura. Esses conceitos, tecidos no âmbito das ciências sociais, vêm, desde a década de 1980 até esta segunda década do século XXI, corroborando a dimensão da diversidade e da multiplicidade, por meio de investigações que têm apontado para a riqueza e a singularidade das várias infâncias, crianças e a diversidade multicultural nas quais estão imersas.

Ao mesmo tempo que temos de reconhecer a universalidade de processos de crescimento e desenvolvimento das crianças – legado herdado da psicologia do desenvolvimento e reafirmado mais recentemente pelas neurociências[6] – é mister apontar as especificidades culturais de cada grupo infantil de um país para outro, de uma comunidade para outra, de um grupo para outro; assim como a singularidade e a individualidade de cada criança, como seres humanos únicos. Somente com extensas e profundas pesquisas será possível reconhecer e conhecer essas diversidades e singularidades.

Multiculturalidade

Não é mais possível nos referirmos à criança "ideal", à criança "padrão" dos compêndios médicos ou psicológicos.

---

6 As neurociências revolucionaram a compreensão a respeito do desenvolvimento do cérebro e vieram confirmar o que a psicologia do desenvolvimento e a área de educação já afirmavam na primeira década do século XX. Autores como o médico canadense Fraser Mustard (1927--2011), que desenvolveu estudos sobre a importância de investimento em creches, e o pediatra norte-americano Jack Shonkoff, professor de Harvard do Center on the Developing Child, têm contribuído com a ideia de que, desde o nascimento até os seis anos, o cérebro possui grande plasticidade, ou seja, maior facilidade para estabelecer conexões entre as células nervosas, em comparação com a idade adulta. Várias atividades da vida cotidiana, como brincar, ouvir música, poesias, histórias ou praticar atividades criativas têm um profundo sentido educativo. Levam ao desenvolvimento de "redes neuronais" de grande resiliência, que poderão ser acionadas em aprendizagens posteriores.

Além das características individuais herdadas geneticamente, cada criança recebe, herda e convive em seu núcleo familiar com valores, costumes e referências multiculturais diversas que estão intimamente relacionadas com as suas raízes familiares. Avós, bisavós e toda a linhagem ancestral de cada núcleo familiar, tanto paterno quanto materno, constituem um importante "caldo" de pesquisas da rica bagagem cultural com a qual cada criança nasce, cresce, aprende e convive.

Por outra parte, toda criança nasce em um país específico; aprende uma ou mais línguas desde seu nascimento; faz parte de uma comunidade; mora em determinados bairros; e usufrui, aprende e incorpora valores, costumes, festas, rituais, músicas, histórias, brincadeiras, referências históricas locais, crenças, dentre outros. Assim, compreender a ideia de "multiculturalidade", conceito oriundo das ciências sociais é, hoje, fundamental para quem trabalha com crianças, jovens ou adultos.

Ao ingressar em qualquer escola, cada criança passa, por sua vez, a fazer parte de uma comunidade escolar, com suas propostas, culturas e valores. Ao tomar contato com os conteúdos curriculares, incorpora, além dos temas regionais, uma bagagem de conhecimentos universais.

As crianças estão, também, permanentemente influenciadas pela mídia, pelo contato com as redes sociais, videogames, internet, propagandas etc. Muitas imagens, uma avalanche cotidiana de informações às quais têm acesso, hipnotizam crianças, jovens e adultos e têm transformado e mudado as culturas infantis. Ainda precisamos compreender e conhecer muito a respeito dessas mudanças.

Um aspecto que em muitas situações não é considerado diz respeito à essência, à "alma", ao dom, às potências e habilidades únicas de cada criança. Nesse caldo de vivências, experiências e culturas temos o imenso desafio de escutar, observar e adentrar os universos infantis para reconhecer a multiplicidade de jeitos de ser criança, de viver as infâncias, de expressar e ressignificar linguagens e culturas.

Com a evolução da psicologia, da pedagogia e do ideário de direitos humanos, o mundo adulto passou a ter maior interesse por compreender os universos infantis. Nas últimas décadas tem crescido a ideia de que as crianças têm habilidades e culturas próprias, porém pouco se sabe sobre como explorar e compreender esses universos; o mundo adulto não sabe como escutá-las.

Muitas teorias e pensadores nos inspiram com reflexões sobre as qualidades das infâncias como possibilidades imaginativas e poéticas para uma educação sensível. Mas quem foram os teóricos, poetas, compositores e pensadores de referência de cada um de nós? Além daqueles por todos referendados, muitos tiveram o privilégio de ter figuras próximas – familiares ou educadores – que, desde o lugar de suas sabedorias, foram também poetas e sábios de referência. E o que dizer da inspiração e da poesia vinda das crianças à nossa volta!

Autoria, protagonismo e participação infantil

As ciências sociais têm dado importante contribuição, defendendo e mostrando que as crianças são atores sociais e autores de suas vidas, que integram grupos sociais com linguagens e culturas próprias, que merecem ser estudados e escutados. Essas ideias, assim como as descobertas da neurociência e a consciência da importância de pensar as infâncias a partir de necessidades, interesses e habilidades das crianças, vêm sendo debatidas e pesquisadas nos âmbitos acadêmicos e programáticos.

A possibilidade de avançar nesses caminhos integrados de pensamento – tanto nas famílias e nas escolas, quanto na sociedade como um todo – encontra-se em seus primórdios. Se bem temos avançado no que se refere a estudos e iniciativas que vêm dando espaço para as crianças terem vez e voz, vivemos uma transição na compreensão dessas mudanças de postura: uma grande transformação de valores e papéis sociais em que as crianças estão também implicadas.

Embora as políticas públicas a esse respeito sejam importantes, as mudanças precisam ser compreendidas e apropriadas pelos educadores e cuidadores, de dentro para fora. Não podem ser "impostas". As crianças terem voz, se expressarem e serem escutadas é um direito ainda a ser conquistado e assimilado pelos diversos atores sociais. Considerar que elas são detentoras de direitos permeia muitos discursos e documentos, mas as iniciativas ainda são poucas e tímidas.

Crianças são *protagonistas, atores sociais* e *autoras* das próprias vidas. "Protagonismo" provém do grego *prótos* – principal, primeiro – e *agonistês* – lutador, competidor –, e nos remetendo a fatores de ordem política e sugerindo uma abordagem mais democrática nas ações sociais. O reconhecimento do protagonismo infantil constitui um movimento recente para o qual vários segmentos da sociedade têm voltado seus olhares. Ele tem surgido em grupos em que crianças, das mais variadas faixas etárias, culturas e classes socioeconômicas, podem expressar seus pensamentos, sentimentos, vivências, opiniões, reivindicações, preferências e realidades de vida. O protagonismo acontece de forma cotidiana onde quer que uma criança viva e cresça: nos núcleos familiares mais diversos, em comunidades, escolas, espaços públicos, em organizações sociais. Enfim, onde há crianças, há protagonismo.

Elas se tornam protagonistas quando se manifestam por meio das mais diversas formas de expressão: da palavra, da brincadeira, das artes, da música, da dança, do esporte, do movimento e de tantos outros tipos de narrativas. O protagonismo infantil tem caráter ético, social, cultural, político e espiritual, convidando os adultos e tomadores de decisão a repensarem o status social da infância, os papéis delas na sociedade local e as referências culturais das diferentes populações.

Nos primeiros anos de vida, crianças são protagonistas de forma permanente: elas são o centro das atenções e expressam, de inúmeras maneiras, quem são e o que vivem. Levar em consideração a diversidade de naturezas, temperamentos, tendências, dons, origens multiculturais, preferências, habilidades, canais expressivos individuais, dificuldades ou limitações das mais variadas ordens é a base para conhecer e reconhecê-las.

O protagonismo é exercido espontaneamente pelas crianças, a partir das possibilidades e oportunidades de elas usufruírem de tempos e espaços para se expressarem e se colocarem no mundo. Na ausência dessas oportunidades, as crianças podem vir a sofrer danos psíquicos profundos que se manifestam, por exemplo, por meio de explosões de raiva, comportamentos violentos, agressividade ou depressão, ausência de interesse, evasão ou falta de integração nos grupos de convivência. Podem sofrer, ainda, doenças psicossomáticas e outras reações ou desvios de comportamento. Restrições impostas às crianças, no sentido de elas poderem ou não exercer o protagonismo em suas vidas, podem trazer consequências complexas para seus processos de desenvolvimento e adequação, tanto em suas famílias, quanto nas instituições ou nos grupos sociais em que convivem.

A defesa do protagonismo infantil não tira, de forma alguma, o papel de destaque dos adultos e a importância que eles têm na vida das crianças, seja como pais, cuidadores, educadores etc. O que aponto aqui é a importância de os adultos abrirem esses espaços de escuta, justamente para conhecer mais profundamente como se dá o protagonismo das crianças, o qual é importante que dialogue com o dos adultos.

A *participação* das crianças também pode acontecer nas tomadas de decisões em assuntos que impactam suas vidas, seja pela participação democrática em conselhos ou assembleias escolares ou em espaços criados nas comunidades, seja expressando opiniões em suas casas. As várias maneiras de participação constituem não somente um direito, como também caminhos para possibilitar às crianças um desenvolvimento pleno, vidas mais significativas e o exercício e descoberta de suas diversas vozes, expressões e potencialidades.

Adultocentrismo

Refere-se às decisões que adultos tomam para as crianças e por elas, em geral sem consultá-las, sem lhes dar voz ou sem criar espaços de escuta. Essa postura precisa ser repensada em contextos educacionais e sociais nos quais crianças crescem e convivem entre elas e com jovens e adultos.

Decidir por elas sem considerar o que sentem, o que pensam, o que lhes interessa ou aquilo de que precisam; privá-las, afastá-las ou não lhes dar oportunidades variadas; pressioná-las, forçá-las a participar de atividades; avaliá-las, compará-las, classificá-las ou colocar sobre elas muitas expectativas estão longe de ser parâmetros para pensar ou possibilitar o protagonismo e a participação infantil, uma vez que esses são movimentos espontâneos. Ao forçar, obrigar ou influenciar crianças a participarem de determinados fóruns ou situações, ou a falarem, ou colocarem aquilo que os adultos gostariam de dizer por elas ou delas ouvir vai na contramão do que se considera protagonismo e participação infantil.

Educadores e pais precisam mudar suas posturas para compreender o significado das diversas formas pelas quais crianças participam e manifestam seu protagonismo: adultos deveriam intervir menos, escutar mais, observar sem julgamentos, respeitar tempos, temperamentos, escolhas e processos. Considerar que crianças têm conhecimentos e sabedorias próprios, diferentes daqueles dos adultos. E repertórios que precisam ser conhecidos, ouvidos, respeitados, compreendidos e considerados para a cocriação permanente de seus cotidianos. Crianças têm formas únicas e diferenciadas de se manifestar, expressar e comunicar. Nós, adultos, precisamos conter a nossa ansiedade, aprender quais são essas linguagens e o que elas comunicam, para entender as mensagens que as crianças transmitem, de forma consciente ou inconsciente.

Nas sociedades pós-modernas, embora exista o esforço de várias partes, raramente a relação com as crianças é de *verdadeira escuta*. Isso porque nós, adultos, as enxergamos com base em nossos próprios valores e, pressionados pelo cotidiano, não temos tempo ou atenção para adentrar os "labirintos" infantis. A maior parte dos adultos que têm crianças sob seus cuidados – educadores, cuidadores e gestores – vem se pautando por parâmetros, teorias, referências e contribuições que se originam nos discursos de várias áreas de conhecimento: psicologia do desenvolvimento, pedagogia, pediatria, neurociência, direito, dentre outras. A partir desses conhecimentos se "enquadram", classificam e comparam crianças das mais diversas culturas, regiões, contextos e temperamentos. Os adultos colocam-se muito mais no papel de quem ensina, corrige, dita regras e orienta, do que no papel de quem escuta ou observa para conhecer e reconhecer as singularidades de cada criança ou grupo infantil.

Ao escutar crianças, o grande desafio é desapegar de nossas crenças e convicções, no que diz respeito a como deveria ser e/ou agir uma criança considerada "normal". Somos desafiados a ter a coragem de nos "perder" e mergulhar nos seus universos; de nos abrir para conhecer a essência, os temperamentos, as necessidades, os interesses e os potenciais de cada uma daquelas crianças com quem vivemos ou convivemos. As realidades dos universos infantis nem sempre coincidem com os referenciais teóricos: as crianças que convivem com cada cuidador e educador todo dia, toda hora, são as bússolas que podem conduzi-los aos universos infantis e seus mistérios.

O adulto costuma se colocar em um patamar de maior sabedoria, maior autoridade frente às crianças. Damos ordens, intimidamos, tiramos delas alguns privilégios, impomos a partir dos nossos próprios referenciais. Muitas vezes, as crianças argumentam diante dessas posturas, e os adultos mal escutam o que elas dizem, expressam ou defendem. Em tempos de agendas infantis lotadas e cotidianos hiperconectados em plataformas e mundos virtuais, os adultos têm estado menos presentes, mais omissos ou demasiadamente autoritários com as crianças. Se, por um lado, aparentemente parece haver mais permissividade, elas têm sido menos escutadas, mesmo na presença física dos adultos. A pressão do mundo externo tem sido tamanha, que raramente a comunicação adulto-criança chega a ser de verdadeira escuta.

Oferecer oportunidades para as crianças manifestarem seu protagonismo não é necessariamente sinônimo de caos ou de falta de controle por parte dos adultos, como muitos pensam. Não significa que, pelo fato de eles darem espaços de expressão para as crianças, autonomia nas escolhas em diferentes momentos, tempos de respiro, os adultos deixarão de acompanhar os movimentos e processos das crianças. Ao contrário, entender a importância de equilibrar propostas de atividades livres – oportunidades de conhecer e observar as crianças – e propostas dirigidas – tempos de orientar, educar e ensinar – não só faz com que elas se expressem em suas singularidades, como também auxilia os adultos a repensar suas propostas de forma mais acertada, atendendo a necessidades e interesses pontuais daquelas crianças. É um caminho importantíssimo para possibilitar que crianças provenientes dos mais variados contextos e grupos socioeconômicos e culturais exerçam seus direitos de ser quem efetivamente são, descubram o mundo ao seu redor, aprendam a conhecer e a conviver com outras crianças, jovens e adultos, e identifiquem e desenvolvam seus potenciais latentes.

Educação Integral

Essa é uma educação que considera o ser humano e seu processo de desenvolvimento, em suas várias dimensões – intelectual, física, emocional, social, cultural, moral –, uma educação que se constitui como projeto coletivo, compartilhado por crianças, jovens, famílias, educadores, gestores e comunidades. Nesses contextos, crianças passam a ter vez e voz, e suas opiniões, interesses, necessidades e pontos de vista e expressões singulares passam a ter um lugar de prioridade no palco da escola, da família e da comunidade.

Crianças têm a possibilidade e o direito de se formarem como sujeitos autônomos, críticos e de assumirem responsabilidades. Ao reconhecer a diversidade sociocultural, diferentes identidades e singularidades, a igualdade de direitos de todas as crianças à Educação Integral e ao acesso aos conhecimentos universais, ao possibilitar tempos, espaços, acesso às múltiplas linguagens, saberes e culturas, estamos no caminho da construção de uma sociedade igualitária e democrática. É assim que crianças passam a ocupar um lugar de centralidade, protagonismo e participação na construção do projeto político pedagógico da instituição, a partir de suas realidades, interesses, necessidades e vozes.

Propostas de Educação Integral sugerem possibilitar tempos e espaços para a livre criação das culturas infantis, valorizar e reconhecer saberes, fazeres e sentimentos expressados por meio dos universos simbólicos, criativos e artísticos: o brincar, as artes, o movimento e outras formas narrativas são entendidos como linguagens expressivas por natureza, e não apenas como ferramentas para o aprendizado escolar. Manifestações plurais e diversas das crianças são oportunidades de expressão e posicionamento diante das questões da vida, das relações e da comunidade.

É desafio atual para os educadores, sobretudo para aqueles que trabalham em escolas de período integral, que destinem parte do tempo em que as crianças ficam na escola ou na creche, para lhes oferecer tempos e espaços livres em que possam circular, escolher, se expressar, seja de forma individual, coletiva ou em pequenos grupos. Educadores precisam acreditar na importância desses espaços de "respiro" e confiar que as crianças sabem e podem estar e conviver livremente nas "escritas" das suas histórias de vida. E, ainda, aproveitar, pois esses tempos livres são oportunidades para os educadores tomarem certa distância, para escutar e observar, aprender e conhecer as crianças sob outros aspectos, que não somente o de "alunos".

Educadores que atuam em espaços não formais ou em situações com menos exigências curriculares têm de considerar que é um privilégio e uma oportunidade poder escutar e conhecer necessidades pontuais das crianças que participam de suas propostas.

INFÂNCIAS DAS CRIANÇAS DO SÉCULO XXI
Singulares, universais, complexas, multiculturais

> *Infâncias tão conhecidas e tão desconhecidas,*
> *tão saudáveis e tão doentes,*
> *tão inteiras e tão fragmentadas,*
> *tão presas e tão livres,*
> *tão verdadeiras e tão escondidas.*
> *Um mundo de infâncias a desvendar!*

É revelador e interessante perceber quantas áreas de conhecimento e de ação têm colocado lentes de aumento diante do tema da infância e das crianças, ampliando e aprofundando esses universos. Conhecer o panorama multidisciplinar e multissetorial sobre as infâncias é fundamental para olharmos para as crianças de forma não fragmentada, para compreendermos como cada área influencia com seus conceitos, estudos e pesquisas. Também é possível perceber quantos setores da sociedade estão empenhados em contribuir com as infâncias, para promover vidas mais significativas.

Do ponto de vista das práticas junto às crianças, passou-se da falta de atenção, de consideração, privações e violências contra muitas delas para a assimilação de orientações de médicos e educadores, que transformaram as relações tanto nas famílias, quanto nas instituições que cuidam e educam crianças. A partir da constatação das inúmeras violações de direitos, as crianças passaram a ser amparadas por diversos instrumentos legais. Tornaram-se detentoras de direitos, passaram a ser olhadas e tratadas a partir de suas necessidades, e propostas e programas formais e não formais foram caminhando para desenhos mais adequados e saudáveis. A sociedade como um todo, porém, tem ainda muitos desafios pela frente para efetivamente transformar orientações e conhecimentos teóricos em práticas concretas. Atualmente começa a ser disseminada, de forma mais ampla, a ideia de que a responsabilidade pela educação das crianças não cabe unicamente à família ou à escola, mas passa também a ser responsabilidade dos órgãos de saúde, assistência social, varas da infância, políticas públicas etc.

A partir dessas ideias e iniciativas incipientes é importante avançar para ações e pensamentos *sem fronteiras*, no sentido de criar *diálogos interdisciplinares e intersetoriais*, a caminho de uma interlocução entre as diversas áreas de conhecimento e, sobretudo, a partir da diversidade de realidades e culturas infantis.

As experiências que vivemos neste século são diferentes daquelas de outras épocas e gerações. Muitos dos inúmeros avanços tecnológicos e científicos ocorridos nos últimos anos podem ser interpretados como modernização, mas têm causado também danos à saúde de crianças e adultos: adições, mudanças nas dimensões do tempo, da adequação, dos valores de referência... Em muitas situações, vivemos cegueiras, ensurdecimentos e lapsos de memória (ou absoluto apagamento) de valores essenciais, bom senso, ideias do que sejam vidas e relações saudáveis, pauperização de muitas relações, falta de ritmo em todos os âmbitos de nossas vidas. Ao nos depararmos com alguns relatos de infâncias, encontramos, nas entrelinhas, valores e costumes esquecidos ou abandonados. Demorou muito para que as crianças fossem consideradas um grupo diverso, com necessidades, interesses e características próprios. É curioso percebermos que inúmeras situações que vêm de um passado remoto se perpetuam no presente século XXI, variando de um local geográfico para outro, de uma cultura a outra, de uma classe socioeconômica a outra: violência doméstica, abuso, castigo, abandono, *bullying* etc.

Conhecimentos sobre áreas multidisciplinares e programas multissetoriais sobre as infâncias precisam ser disseminados com o objetivo de destacar a importância desse período da vida na constituição dos seres humanos. Compreender a relevância de ações adequadas, por parte dos adultos, para garantir que as crianças possam ter vidas significativas no que diz respeito às suas necessidades, interesses, direitos e potenciais constitui prioridade para o desenvolvimento saudável das futuras gerações.

Uma das importantes contribuições da antropologia, no âmbito da infância, foi chamar a atenção para as diferenças entre os diversos grupos infantis e entre as diferentes infâncias.

Do ponto de vista global, todas as crianças estão hoje expostas à mídia, ao mercado e às redes sociais, desde poucos meses de idade. Elas têm recebido avalanches de informações e de pressões que não obedecem aos ritmos naturais de seu desenvolvimento. Inúmeros excessos estão ocorrendo: estímulos antecipados, incentivo ao consumo, exagero de atividades, de cuidados e de alimentos etc. Grande parte dos pais não consegue estar presente no cotidiano das crianças e os equipamentos por elas frequentados nem sempre olham para as suas individualidades. Elas às vezes têm oportunidade de viver de acordo com seus tempos internos: a pressão que os adultos e a sociedade como um todo exercem sobre elas com relação às obrigações *versus* o tempo livre – o tempo de "ser criança" – tem tirado a possibilidade de elas viverem infâncias mais saudáveis.

Muitas crianças estão simultaneamente expostas e solitárias, e somatizam seus sofrimentos, que se tornam problemas de saúde física e mental, como hiperatividade, depressão, apatia, distúrbios de sono, insatisfação, extrema dependência de adultos, alergias, complicações digestivas e respiratórias, obesidade, câncer etc. Essas manifestações, dentre outras, algumas cujas causas não podem ser explicadas, são também consequências dos ambientes aos quais as crianças estão expostas e descompassos entre ritmos, necessidades internas e estímulos externos. Muitas crianças, desde seu nascimento, são hiperestimuladas ou negligenciadas.

Muitas crianças, principalmente as moradoras de cidades grandes, têm tido pouco tempo para brincar. Várias têm excesso de brinquedos, que são, de maneira geral, rapidamente descartados; elas têm agendas superlotadas e pouco tempo livre. A TV, os videogames, os *smartphones* e as redes sociais vêm dominando o cotidiano das atuais gerações de crianças de tal forma, que elas acabam ficando menos autônomas ou interessadas em interagir com outras crianças.

Elas têm pouco contato com a natureza, o que acaba restringido seus movimentos. As atividades de que participam são geralmente direcionadas por adultos e faltam espaços para a criatividade, imaginação e fantasia.

Grande parte das crianças moradoras de periferias costumam ficar muitas horas sozinhas ou aos cuidados de irmãos mais velhos, vizinhos, parentes ou outros cuidadores. Passam longos períodos na frente das telas e dentro de casa. O espaço público tornou-se inseguro e violento. Algumas têm oportunidade de participar de programas na comunidade que incentivam o brincar, a cultura, as artes e o lazer, junto com suas famílias, e têm oportunidades de vivenciar experiências diversas. Muitas dessas iniciativas, embora grande parte invisíveis, são referências inspiradoras.

Crianças de comunidades rurais têm bastante contato com a natureza, mas ainda são, muitas vezes, privadas dos seus tempos de serem crianças, constituindo, desde pequenas, mão de obra dentro ou fora de casa. Em sua maior parte, influenciadas pela mídia, almejam brinquedos, *smartphones*, videogames, a vida da cidade grande. Em algumas comunidades não se dá valor ao patrimônio cultural local de brincadeiras, costumes, histórias ou das diversas manifestações artísticas.

Crianças de comunidades ribeirinhas, quilombolas ou indígenas têm repertórios lúdicos que vêm sendo (re)conhecidos por alguns pesquisadores e que marcam singularidades de brinquedos e brincadeiras que espelham rituais, costumes e culturas locais. Nesse contexto, muitas vezes faltam informações a respeito de temas como alimentação saudável, vacinas ou prevenção e tratamento de doenças.

Embora o desenvolvimento da ciência possa levar grandes contribuições para essas populações infantis e suas famílias, é necessário criar pontes de diálogo entre suas culturas particulares e os avanços e conhecimentos a respeito das infâncias no século atual.

No Brasil há também uma mistura de influências da cultura de outros países, que podem ser observadas de norte a sul. É possível traçar paralelos, por exemplo, entre o cotidiano de crianças de diferentes cidades brasileiras – sobretudo na região Sudeste – com a vida e a cultura de crianças norte-americanas: o mercado e muitos sistemas educacionais têm tido influência dessa cultura, principalmente aqueles voltados às camadas socioeconômicas mais privilegiadas.

Em especial as grandes metrópoles recebem imigrantes e comunidades de inúmeras procedências. Muitas vezes, eles permanecem em seus grupos de iguais e perpetuam seus valores de origem, como os imigrantes orientais, latinos, europeus, africanos etc. Outras vezes, convivem e se misturam com uma diversidade de outros grupos culturais. Essa miscigenação é bem rica e interessante na formação dos seres humanos. As crianças são, sem dúvida, participantes desses acontecimentos e com frequência são frutos e herdeiras dessas miscigenações.

Crianças que vivem em contato com suas raízes, especialmente em comunidades isoladas e que preservam valores, rituais, costumes e até dialetos locais – sobretudo nas regiões Norte, Nordeste ou no interior de alguns estados –, têm sido influenciadas pelas culturas de outras regiões do globo, como a África e alguns países latinos e centro-americanos. Em muitas comunidades do Sul do Brasil há forte influência de culturas europeias, que se fazem presentes por meio das línguas e dos valores que permeiam o cotidiano das crianças e continuam a ser traço marcante da cultura local.

Outras características que podemos identificar nas crianças deste século XXI são: a agressividade de muitas delas, que expressam sua raiva por meio de brincadeiras ou atitudes violentas; carências afetivas; excesso de permissividade; hiperestimulação e agendas lotadas; pressão escolar precoce; falta de interesse e concentração, situações em que muitas delas são encaminhadas para acompanhamento psicopedagógico e/ou psicoterapêutico; violência doméstica; convívio em espaços artificiais, "seguros","assépticos" ou com pouca natureza, que desvinculam as crianças de seus ritmos naturais, como toques, contatos, olhares e oportunidades de troca; "tirania", muitas vezes por falta de limites; exigência pelo seu entorno de estarem preparadas para o futuro, pulando fases e experiências essenciais em seus processos de desenvolvimento; exposição ao mercado e ao consumo, sendo educadas para o "ter" mais do que para o "ser"; corpos e mentes "alienados", hipnotizados pelas telas por horas. Combater essas características, que concorrem cotidianamente com tantas outras possibilidades de vida, é o grande desafio do século.

Observam-se também crianças "privilegiadas" por terem a presença e a participação dos pais em seus processos de crescimento e desenvolvimento; crianças que participam do cotidiano, problemas e crises de suas famílias, de situações que as afetam de uma ou outra forma; crianças extremamente frágeis precisando de cuidado e proteção desde a mais tenra idade, muito permeáveis e sensíveis, sendo o corpo o primeiro veículo a sentir diretamente qualquer estímulo ou invasão vindos de fora. À medida que as crianças crescem, vão criando, de forma inconsciente, defesas, camadas de proteção que, se por um lado as resguardam, por outro vão encobrindo suas verdadeiras emoções e sentimentos, que vão sendo abafados, reprimidos; crianças com uma percepção muito aguçada, que captam tudo ao seu redor; crianças muito espertas e sábias.

Considerando a situação da infância no Brasil hoje, os novos paradigmas educacionais e a urgência por mudanças, são necessárias profundas reflexões e o planejamento de ações para avançar nas práticas cotidianas.

É, a partir das constatações anteriormente levantadas, que acredito e defendo nesta obra a importância de escutar, observar e aprofundar o conhecimento e a compreensão das crianças – em quaisquer famílias, escolas, territórios, comunidades ou equipamentos – para identificar suas potências, habilidades, interesses, realidades e sentimentos. E, assim, repensar, em todos os âmbitos, espaços, tempos, estímulos, atividades, conhecimentos, experiências, vínculos e valores que estamos lhes proporcionando para que vivam infâncias plenas, saudáveis e adequadas.

> **PARA REFLETIR**
>
> Todos queremos compreender as crianças,
> porque todos queremos compreender o ser humano.
> Porque decifrar quem cada um é
> é tarefa da existência humana.
> E mesmo com tantos saberes,
> os afetos e as emoções nos desnorteiam.
> Todo dia, com cada vínculo, com cada criança,

> com cada novo acontecimento,
> os planejados e os inusitados.
> Porque somos tão únicos, tão diferentes e tão iguais...
> Porque temos sempre tanto a aprender.
> Com cada criança, um novo universo.
> Com cada grupo, em cada canto, nas diversas culturas,
> iniciamos um novo capítulo do livro do que é ser humano.
> Vale a pena, cada um vale a pena,
> se com verdade e de coração! ∎

Tempos e espaços para viver as infâncias

> *Quanto tempo o tempo tem?*
> *A verdade é que não temos mais tempo.*
> *O tempo de cada criança viver sua infância é agora,*
> *já está acontecendo na vida de cada uma.*
> *E o tempo de escutá-las e conhecê-las*
> *é o presente, onde quer que elas estejam.*
> *No verde, no asfalto, em seus esconderijos,*
> *em seus universos imaginários.*
> *O tempo é agora.*
> *Não podemos mais perder esses tempos,*
> *que amanhã é outra história que se tece.*
> *E o tempo delas já terá passado...*

É necessário ampliar e aprofundar nossos olhares sobre as crianças e suas infâncias. Ultrapassar a imagem que criamos das crianças existentes apenas no seio das famílias ou como alunos nas escolas e compreender que elas circulam e convivem com seus pares e com outros adultos em diversos espaços, situações e grupos. Aprofunda-se, assim, a consciência de que, dependendo do lugar, da situação e do grupo com quem compartilham seus tempos, as crianças podem revelar aspectos diferentes daqueles previamente conhecidos pelos adultos com quem interagem.

Crianças mostram diferentes facetas, comportamentos e interesses e estabelecem vínculos diversos. Têm protagonismo, expressão ou participação, em função de inúmeros fatores internos e externos. Portanto, classificar, avaliar ou julgá-las fica absolutamente fora de cogitação, pois elas são surpreendentes em suas reações, emoções, preferências, ao mostrar maior ou menor conforto, interesse e participação, dependendo do momento, do lugar e daqueles com quem convivem. Vale considerar que crianças são muito mais do que filhos ou alunos. Onde quer que elas convivam ou por onde quer que circulem, mostram-se de um ou de outro jeito, dependendo das interações com os outros, com os espaços, com as situações.

Assim, compreender onde as crianças circulam e como elas se revelam é um desafio cotidiano. Onde se sentem mais inteiras, adequadas, em quais atividades ou espaços isso acontece, pode ser extremamente revelador. Algumas observações poderão ser enriquecidas a partir da escuta de crianças em diferentes contextos.

Crianças na natureza e em zonas rurais

Nas zonas rurais, terra e plantas tornam-se parte da brincadeira, em um faz de conta que compõe um rico patrimônio cultural, mas que sofre influência da mídia e das cidades. No campo, as crianças estão em contato permanente, quase orgânico, com a terra, com a natureza, com os bichos. Crescem mais soltas, pés no chão, conectadas com as mudanças climáticas e com os processos naturais de desenvolvimento dos seres vivos – animais e plantas. Muitas vezes, elas são mão de obra fundamental para ajudar no sustento de suas famílias. Quando vão à escola, enfrentam, em sua grande maioria, longos percursos e integram grupos com uma lógica diferenciada daquela das grandes cidades: alunos de diferentes idades compõem os agrupamentos escolares. Assistir à aula depende do transporte, do clima, da necessidade de colaborar com o cuidado dos irmãos mais novos em casa, ou, às vezes, da demanda na ajuda para o sustento familiar. São crianças que geralmente têm muitos irmãos de quem ajudam a cuidar. Nem sempre há figuras masculinas presentes, pois algumas costumam ir trabalhar nas grandes cidades ou viajar com frequência.

Crianças moradoras de fazendas, que brincam com outras de idades variadas, sejam filhos dos empregados ou dos proprietários, misturam-se na convivência e nas brincadeiras. Todas essas características espelham-se em seus brincares e desejos. Nas áreas rurais, as brincadeiras têm algumas características particulares: acontecem em amplos espaços em contato direto com a natureza, fundindo-se em elementos do entorno. Os brinquedos são geralmente construídos com o que há na natureza: água, terra, plantas, árvores, bichos. Crianças de várias idades se unem, umas ensinando às outras. Muitas vezes misturam e criam seus brincares com o tempo do trabalho, enquanto ajudam os pais nas tarefas domésticas ou na terra. O faz de conta e a adaptação à natureza estão em seu vocabulário, na imitação, no desenvolvimento de habilidades diversas. São atos que envolvem destreza de movimentos e aguçam os sentidos: cheiros, texturas, sons, sabores e observações são auxiliares permanentes.

Não são apenas as paisagens e realidades naturais da região rural que impregnam os desejos dessas crianças. Há também um mundo que chega por meio da televisão, dos celulares, das redes sociais: universos longínquos, que passam pelos anseios de consumo que as propagandas transmitem. Assim, as crianças começam a integrar universos multiculturais, que aparecem em seus cotidianos e se revelam em seu brincar.

Essas comunidades têm um repertório próprio de brincadeiras tradicionais, transmitidas pelos pais e avós, que misturam tradição, condição natural do entorno e culturas lúdicas diversas, provenientes das experiências infantis dos pais que, muitas vezes, nasceram ou têm suas raízes familiares e ancestrais em diferentes regiões do país. As crianças crescem, pois, com um repertório lúdico riquíssimo, muitas vezes não valorizado pela própria comunidade. E, paralelamente, conforme elas têm acesso aos meios de comunicação, ao mercado de brinquedos e ao contato com a cidade, apropriam-se de um repertório lúdico urbano e até universal.

As brincadeiras e os brinquedos são portadores de valores que geralmente dizem respeito ao contexto cultural em que as crianças nasceram ou foram criadas. Tomemos o exemplo das bonecas: embora em algumas ocasiões possam servir de suporte para as brincadeiras de faz de conta, independentemente dos materiais ou formatos em que foram fabricadas, "falam" dos costumes, valores e culturas por meio de roupas, acessórios, cores de cabelo etc. As bonecas feitas de palha de milho, as "bruxinhas", as de pano, os bebês, as modelos, as com feições de diversas culturas: todas refletem universos nem sempre familiares para aqueles que brincam.

Assim acontece com os brinquedos industrializados e mesmo com os artesanais: todos têm impregnadas em si características multiculturais. O repertório do faz de conta de cada criança ou de cada grupo infantil, ao mesmo tempo que acontece conforme o que a natureza e o entorno oferecem, impregna-se da realidade doméstica (da qual pais, mães, avós e aparentados são oriundos, geralmente, de diferentes realidades socioculturais), da cultura do grupo de convivência, da que chega pela mídia, da universal.

É uma mistura riquíssima de repertórios lúdicos, embora esses grupos infantis possam não ter consciência de todos os valores de seus patrimônios culturais e estar, muitas vezes, desejando aquilo que recebem por meio da mídia: o que vem de fora.

Crianças em zonas ribeirinhas

Mitos e costumes ancestrais misturam-se no cotidiano das crianças que fazem das florestas e das matas palcos para o faz de conta. Pará, Amazonas, Acre, Rio Grande do Sul, Espírito Santo, Goiás... Em que recanto do Brasil não encontramos crianças protagonistas por meio de seus brincares? Moradoras de comunidades isoladas, elas detêm culturas lúdicas desconhecidas pela grande maioria de nós. Quanto elas têm a nos ensinar! Ao olharmos para outras crianças e reconhecermos suas singularidades e a riqueza de seus cotidianos lúdicos!

As brincadeiras de crianças quilombolas, ribeirinhas, de comunidades indígenas e tantas outras revelam não somente culturas particulares, mas também universos permeados de mitos, costumes ancestrais dos grupos nos quais nasceram e se desenvolvem, organicamente conectadas com a natureza.

Nesses labirintos paisagísticos, embrenhados em florestas, matas, morros e em tantos outros esconderijos, crianças das diversas comunidades se transformam em donas de saberes que nos escapam: dominam a terra em que pisam, as árvores que escalam com seus hábeis pezinhos descalços, o curso dos rios onde as brincadeiras viram festa, conhecem os bichos que aparecem e desaparecem e tornam-se parceiros. Os códigos que dominam, tanto em relação ao vínculo com a natureza quanto à sua transformação na criação de complexos brinquedos, ancoram suas origens em regras e valores particulares. Essas crianças estão tão conectadas e integradas à natureza que seus brinquedos "nascem" das árvores, da terra, dos rios, dos mitos e costumes, por meio de sua imaginação, de seus corpos e dos ensinamentos de pais e avós. Barquinhos, casinhas, piões, estilingues, petecas e brincadeiras de faz de conta reproduzem suas vidas e os universos dos adultos, contando quem elas são. É assim que, nas comunidades, as brincadeiras expõem um forte vínculo com a natureza, que é transformada em complexos brinquedos.

Rodas e cantigas em que crianças e adultos, juntos e muito à vontade, criam ritos e ritmos na vida desses brincantes. Galhos de árvores, troncos, bichos, sementes, linhas, elásticos, tampinhas de garrafa, caixas de fósforos, pedras, barbantes, latinhas, chinelos de borracha, isopor, miriti, madeiras, cortiças e muita habilidade e imaginação: é assim que crianças das inúmeras comunidades ribeirinhas constroem seus brinquedos e inventam suas brincadeiras.

Crianças nas cidades

Estamos muito preocupados com o caos que se tornaram nossas cidades, assim como com o acúmulo de problemas dos quais todos somos partícipes no dia a dia. Políticos e empresários procuram soluções; meios de comunicação, ao mesmo tempo que denunciam, promovem debates sobre qualidade de vida; trabalhadores procuram saídas. E nós, cidadãos, pais e educadores, temos também o dever de pensarmos em caminhos possíveis para resgatar – muito além de áreas livres e de lazer para as crianças –, a humanidade que está indo embora com as enchentes da violência.

As cidades estão doentes e o diagnóstico que facilmente espelha essa doença passa pela violência; pela poluição do ar, sonora e visual; pela poluição de ideias e de objetos de consumo; poluição virtual; falta de segurança; circulação e comercialização de drogas; lixo não recolhido e falta de consciência quanto ao que jogamos fora; invasão de espaços públicos, abandono e negligência de autoridades diante do aumento de moradores de rua; troca do natural pelo artificial nas ruas, nos prédios, nas atitudes; deslocamento do interior para o exterior. Nos espelhamos no outro, sem termos consciência de que nós também somos o outro, mas não temos coragem de nos olharmos em nosso próprio espelho; perdemos nossa identidade, o espaço de sermos cada um e não mais um na multidão; aprendemos a entrar em contato pelo computador, de forma virtual, defendidos, impulsivos, mas perdemos contato com o outro, seus toques e olhares.

Não há mais equilíbrio entre o antigo, a história e o moderno; o verde e o cimento; o azul e o cinza; o claro e o escuro; o público e o privado; a riqueza e a pobreza. Perdemos valores essenciais entre as ruas da cidade, no trânsito, nos shoppings, prédios e multidões. Perdemos impulsos, sensações, cores, verdades intrínsecas: perdemos parte da alma.

Como as relações humanas acontecem no nível do *olhar*, são necessários ambientes para estabelecermos esse contato, como lugares de encontros, para pausas, momentos de troca de olhares (cafés, avenidas, parques). Lugares para os corpos, onde eles possam se ver, se tocar, se encontrar. Lugares de intimidade dentro da cidade, pois ela é crucial para a alma: esquinas, cantos, interiores, pausas.

Felizmente têm surgido movimentos que convidam os cidadãos – incluindo as crianças – a ocuparem as cidades com ruas de lazer, ciclovias, centros culturais, museus, ruas, muros e paredes destinados a artistas e grafiteiros, apresentações musicais, corridas, caminhadas – eventos em que crianças e suas famílias fazem piqueniques, ocupando parques e praças. Equipamentos de encontro colocados nas calçadas, *food trucks* e todo tipo de feiras de artesanato, de alimentação, de venda de livros, de brinquedos etc., *slams*[7] de poesia, bibliotecas ambulantes, a natureza e as manifestações espontâneas revitalizando as cidades. Esses movimentos, que surgiram de forma muito instigante nos últimos anos por iniciativa dos cidadãos – e com a participação ativa de crianças de todas as idades –, criaram a possibilidade de encontros entre membros de diversas origens, culturas e comunidades. E têm levado às crianças – estas também protagonistas e participantes – possibilidades de vivenciarem sua autonomia, livre escolha e usufruto do tempo de ócio, e convivência com seus pares e outros adultos.

Em 1999, o escritor uruguaio Eduardo Galeano (1940--2015) fez, com muita pertinência, uma radiografia das crianças da América Latina. Embora tenham se passado mais de vinte anos e muitos direitos tenham sido conquistados com as subsequentes mudanças, o panorama apontado naquela época continua similar em muitas regiões e até piorou em outras. Segue aqui uma síntese dessa manifestação, em tradução livre.[8]

> As crianças e os adolescentes somam quase metade da população total. As crianças das classes mais abastadas crescem trancadas em uma bolha de medo,

---

[7] Os *slams* são campeonatos de poesia: os participantes têm até três minutos para apresentar uma poesia de autoria própria, sem adereços ou acompanhamento musical. O texto pode ser escrito previamente, mas também pode haver improvisação. Não há regras sobre o formato da poesia.

[8] Texto publicado na obra *Patas arriba: las escuela del mundo al revés*. Uruguai: Siglo XXI, 1999, p. 11-20.

por causa dos sequestros. Moram em mansões amuralhadas, com cercas elétricas e seguranças armados, vigiadas dia e noite por guarda-costas e pelas câmeras de circuitos fechados de TV. Viajam em carros blindados e só conhecem sua cidade de vista. Não habitam na cidade onde moram. As crianças que menos têm um lugar para morar são aquelas que mais coisas têm: crescem sem raízes, sem identidade cultural e seu senso social é o de que a realidade é perigosa. Sua pátria está nas roupas de grife e na língua dos códigos internacionais. São educadas na realidade virtual e se deseducam na ignorância da realidade real. Brincam de guerra com balas de raios laser. Desde que nascem, são treinadas para o consumo e a frivolidade, e passam a infância aprendendo a ter mais confiança nas máquinas do que nas pessoas. Em sua adolescência descobrem caras drogas que mascaram a solidão e o medo. O carro é seu ritual de iniciação.

Metade das crianças e dos adolescentes na América Latina vive na miséria. A cada hora, morrem cem crianças, de fome ou de doença curável. Tem cada vez mais crianças pobres nas ruas. A sociedade pressiona, vigia, castiga e às vezes mata essas crianças pobres; quase nunca as escuta, jamais as compreende. São obrigadas a trabalhar para poder comer. São mão de obra gratuita ou a preço de lojas, oficinas, restaurantes, indústrias; no campo, na cidade, em casa. São pequenas escravas da economia familiar ou do setor informal da economia globalizada, tendo os piores trabalhos: catadoras de lixo, de pérolas nos mares, de diamantes nas minas; cheiram os pesticidas das plantações de café, algodão e banana; trabalham nas vias férreas, nos carvoeiros, nas casas de família, nas feiras, limpando vidros nas ruas, lustrando sapatos, costurando e colando. As meninas se prostituem. São incontáveis as crianças que trabalham fora da lei e das estatísticas. Outras crianças pobres ainda roubam desde pequenas, ou morrem de fome ou de balas perdidas. Drogam-se, cheiram cola. A criança tornou-se uma ameaça, um perigo público!

Entre as crianças que vivem prisioneiras do dinheiro e as que vivem prisioneiras do desamparo estão aquelas crianças que têm muito mais do que nada, mas muito menos do que tudo: as crianças da classe média são cada vez menos livres. É a classe asfixiada pelas dívidas, paralisada pelo medo e no medo cria seus filhos: medo de viver, de cair, de perder o trabalho, o carro, a casa, as coisas. Pânico de não chegar a ter o que se deve ter para chegar a ser... Clamam por segurança e ordem. Cada vez mais, essas crianças estão condenadas à humilhação do fechamento perpétuo. Na cidade do futuro, que já está sendo a cidade do presente, as telecrianças, vigiadas por babás eletrônicas, observam a rua desde alguma janela de suas telecasas: a rua, proibida pela violência ou pelo pânico da violência, a rua onde acontece o sempre perigoso espetáculo da vida.

Pensemos na possibilidade de restaurar a alma das cidades e das crianças. Existe uma "ecologia da alma": a ciência do lar, a responsabilidade pelas coisas e pessoas do mundo. Uma ecologia como essa não acontece somente junto à natureza, fugindo da cidade. James Hillman, em sua obra *Cidade e alma* (1993), afirma que se restaura a alma quando restauramos a cidade em nossos corações individuais, assim como a coragem, a imaginação e o amor que trazemos para a civilização.

Há um crescente movimento em prol de curas alternativas para confrontar essas "doenças" da alma:

> **PARA REFLETIR**
>
> Gotinhas homeopáticas de solidariedade,
> pílulas de toques e encontros,
> injeções de otimismo e esperança,
> massagens para descongelar corpos e corações,
> curativos para nossas feridas,
> faixas removíveis que aliviam
> em vez de gessos que paralisam,
> compressas de calor e compaixão,
> tônicos para descongelar sorrisos,
> chás de ternura,
> banhos de justiça,
> bulas de respeito pelos direitos do outro. ∎

Hospitais para recuperação de dependentes das drogas; palhaços que resgatam o sorriso de crianças doentes; escolas e espaços lúdicos e criativos voltados para a canalização de suas energias pela arte, pelo brincar, pelo movimento, pela expressão verbal e musical.

> **PARA REFLETIR**
>
> Nesta medicina suave
> dois ingredientes são fundamentais:
> cuidado e amor.
> Cuidado com os corpos,
> com a gente, com o outro,
> com as crianças,
> com nossa casa,
> com nossa cidade,
> com nosso planeta,
> com nossa alma. ∎

Crianças na escola

As instituições de educação formal – creches, escolas de Educação Infantil e escolas de Ensino Fundamental – são educadoras por natureza. O que observamos em muitos desses equipamentos?

- Espaços nem sempre adequados.
- Falta ou excesso de materiais.
- Currículos fragmentados que não acompanham os "tempos orgânicos" das crianças.
- Excesso de crianças em cada sala.
- Poucos cuidadores/educadores para grande número de crianças.
- Demanda reprimida.
- Mudanças permanentes de diretrizes curriculares.
- Excesso e/ou inadequação de atividades e estímulos.
- Falta de tempo livre para as crianças experimentarem sua autonomia.

Ainda, educadores passaram a ser responsáveis e solicitados a orientar os pais.

Muitas crianças que ficam na escola em período integral não têm tido períodos de ócio, de liberdade e de autonomia para o livre brincar ou para desenvolver outras atividades de sua escolha. Elas são, em muitas escolas, permanentemente monitoradas, sem oportunidades de respiros. Temos pela frente grandes desafios cotidianos, permanentes e que dizem respeito à formação de todos os membros das comunidades escolares: abrir-nos para conhecer nossas crianças e repensar seus programas, currículos, uso dos tempos e formas de incluir todas as singularidades no coletivo.

> **PARA REFLETIR**
>
> Porque as crianças estão no mundo,
> por toda parte, muito além dos muros,
> em todos os territórios e culturas.
> Porque estão muito além dos tempos e espaços
> criados e definidos por nós, adultos.
> Porque as crianças com seus jeitos de ser e viver
> atravessam fronteiras,
> transgridem e questionam nosso senso comum,
> falam dos seus jeitos e
> chacoalham nossas certezas.
> Porque as crianças estão no mundo!
> Vamos finalmente escutá-las?! ∎

EXPRESSÕES INFANTIS
Linguagens não verbais, culturas e narrativas diversas

Crianças se expressam todo dia, toda hora.
Seus corpos cantam e gingam.
Seus olhares piscam, sorriem ou gritam.
Suas mãozinhas gesticulam.
Suas palavras revelam ou abafam.
Seus cantos desabafam e aliviam.
Emoções escondidas,
ou não compreendidus...
Seus brincares as libertam
e as ajudam a experimentar a vida.
E talvez a compreendê-la?
Ou a assimilar o mundo à sua volta...
Crianças expressam-se, todo dia, toda hora.

Corpo, gesto e movimento

O corpo de cada criança fala: os gestos expressam emoções profundas, doenças sinalizam seu estado anímico. A maior ou menor flexibilidade e habilidade dos corpos infantis são narrativas primordiais que nos contam quem cada criança é, o que está vivendo, suas alegrias e sofrimentos, sua superação ou seus esforços por transpor barreiras. Raramente nos detemos para perceber essas expressões. Muito menos as "lemos" para compreendê-las: elas dizem – e até gritam no silêncio aparente – muito sobre cada criança.

Os corpos infantis estão atualmente propensos a ficar imóveis nas carteiras das salas de aula, à frente de telas, videogames e computadores, em qualquer tipo de meio de transporte, que não a pé. As crianças de hoje movimentam-se muito menos do que deveriam, carecem de espaços para os corpos se expressarem, caminham na contramão de um desenvolvimento corporal e emocional equilibrado. Em outras situações – tantas! – as medicamos e ignoramos ou não prestamos atenção ao significado dos sintomas de uma ou outra doença. Longe de dizer que não seja importante medicá-las em muitas ocasiões, mas as doenças dos corpos revelam também, tantas e tantas vezes, sintomas e mensagens de feridas e doenças psíquicas e anímicas. Chegar perto de decifrá-las é o grande desafio desta nossa existência. Nesse sentido, especialistas podem nos sinalizar possibilidades, mas cabe a nós, enquanto educadores e cuidadores, estarmos atentos às emoções, expressões e falas das crianças, e oferecer caminhos para que se expressem como formas de canalizarem suas dores, feridas, prazeres e alegrias. Isso é propiciar possibilidades de cura e saúde para elas.

As falas dos corpos aparecem a toda hora: em brincadeiras, reações, produções. O tempo todo, as crianças fazem gestos, movimentos, rabiscam, falam sozinhas ou com outros, reagem expressivamente a situações, imagens, palavras... Nem precisamos provocar: elas estão sempre reverberando vozes e narrativas. Vejamos algumas modalidades de expressão.

Linguagens artísticas

A arte é um dos mais importantes canais de expressão dos seres humanos, nos ajudando a canalizar nosso inconsciente e nossas emoções, nosso entendimento de mundo, transpõe a compreensão ou intenção conscientes. A arte vai muito além da estética e dos materiais, suportes e ferramentas utilizadas. Seja por meio do desenho, da pintura, da modelagem ou qualquer outra forma de expressão plástica, ela é linguagem expressiva simbólica e privilegiada de que a humanidade usufrui, tanto os artistas como os observadores.

A partir das contribuições, reflexões e experiências de educadores especialistas no campo das artes, consideram-se as múltiplas linguagens um aspecto essencial de comunicação e expressão, de ser e estar no mundo, sobre as quais é fundamental colocar foco. Elas fazem parte do cotidiano das crianças, e é por meio delas que conseguem ter "vez e voz", desenvolver a criatividade e potenciais e, essencialmente, experimentar uma diversidade de possibilidades, relações, espaços e vivências.

As linguagens artísticas apoiam as crianças na ampliação de seu conhecimento sobre o mundo, de sua sensibilidade e capacidade de lidar com sons, ritmos, melodias, formas, cores, imagens, gestos, falas e com obras elaboradas por artistas e por elas mesmas, que emocionam e constituem o humano. Atividades e propostas como o jogo simbólico podem ser incrementadas com narrativas de histórias, filmes, desenhos, pinturas, representações teatrais, expressões musicais, entre outras.

A expressividade pressupõe, acima de tudo, muita pesquisa e experimentação, e uma grande familiaridade com materiais e processos que estão implicados em diferentes fazeres artísticos. É importante reconhecer o que as crianças já sabem, como se expressam, o que gostam de produzir, olhar, escutar; reconhecer a intenção, o propósito, o prazer que está por trás de cada gesto, de cada traço ou movimento e propor desafios que façam sentido para elas.

Os interesses, a curiosidade e a sensibilidade de cada criança são tanto produto de sua natureza individual quanto construídos e mediados por elementos simbólicos, culturais e contextuais. Além do fazer das crianças e das propostas dos educadores, é importante que elas tenham contato com uma diversidade de imagens – estáticas ou em movimento; internas ou externas – que visitem exposições, museus, cinemas e outros equipamentos e eventos oferecidos em suas cidades e territórios.

A seleção e a diversidade de materiais oferecidos às crianças em diferentes situações vai nortear a vontade e o impulso criativo de cada uma: a quantidade e a qualidade, o jeito de disponibilizá-los de modo que se sintam incentivadas a experimentá-los e a ajuda necessária oferecida para a execução de ideias são pontos importantes em um planejamento que considere o modo próprio de agir, pensar e sentir de cada uma.

Antes de iniciar qualquer atividade artística, é desejável que o educador apresente às crianças uma gama de materiais diversos e possibilidades de sua utilização, para somente então deixá-las livres em seus próprios processos criativos. Isso não significa que os educadores não possam ou não devam acompanhar as produções individuais e auxiliá-las em suas demandas (não fazendo por elas, nem querendo impor um único caminho criativo!). É fundamental assegurar tempo para as crianças se apropriarem de suas possibilidades, habilidades e ferramentas, assim como manter uma atmosfera em que se arriscar, experimentar, mostrar o que cada uma fez sejam valores reconhecidos por todos e por elas desejados.

Todos esses cuidados têm como expectativa trabalhar percursos e processos de produção e de transformação, a busca de significações, confiança e valorização das várias experiências do outro, bem como a postura do educador como mediador de processos criativos que são, essencialmente, singulares, próprios de cada criança. Não se defende um único padrão de beleza, clássico, mas sim diferentes abordagens construídas pela humanidade ao longo de sua história, abrindo assim possibilidades expressivas e sensíveis às crianças.

Para elas, a arte é uma expressão cotidiana: garatujas, desenhos, pinturas, modelagens em terra, argila, massinha, farinha etc., com todos os tipos de tintas, aquarelas, guaches, tintas naturais, diferentes suportes, ferramentas, dobraduras e muito mais. A arte envolve os corpos, a motricidade, as sensações – ver, ouvir, cheirar, tocar, pensar, falar. Quando falamos das artes como linguagens expressivas sugerimos que, mais do que controlar ou criar situações artificiais para que elas ocorram, é importante deixar que as situações aconteçam naturalmente. Descobrir materiais, sejam da natureza ou não, brincar com eles, experimentar, desenhá-los, fazer garatujas, pintá-los, cada uma do seu jeito.

Toda criança tem uma expressão própria, embora existam traços primitivos semelhantes em seus desenhos. O trabalho com arte favorece a improvisação, na qual se misturam emoções, atmosferas e diversas outras possibilidades. Pintar, desenhar, modelar ou dar forma são atividades diferentes e todas podem ser apresentadas às crianças como oportunidades criativas e exploratórias. Quando as crianças conseguem contar o que desenharam, seus desenhos se transformam em narrativas, em mensagens. Quando as linguagens entram em cena, as crianças também começam a pensar. Nem sempre, porém, elas verbalizam, e nem sempre é necessário que o façam. O importante é compreender que o fato de o adulto criar possibilidades, tempos, espaços e oferecer diversas ferramentas para as expressões plásticas já é, por si só, oportunidade de comunicação e de expressão. As produções artísticas estão permeadas de simbolismos e, claro, qualquer um pode se aprofundar nessas leituras.

Música

A música constitui importante linguagem na comunicação e na expressão humana. Desde antes de nascerem, as crianças já estão imersas em um mundo de sons. Pesquisas comprovam que, ainda dentro do útero, os bebês escutam e reagem aos sons do corpo materno e mesmo aos sons externos. Quando nascem, já nas primeiras semanas de vida, eles são capazes de distinguir claramente a voz humana de outras fontes sonoras. A voz materna é reconhecida pelo bebê e será um instrumento importante na construção do vínculo e na interação pais-crianças. Farão parte desse universo sonoro as canções e as pequenas brincadeiras musicais que a mãe entoa. Assim, os sons e a música constituem uma fonte importante de conexão cultural e, desde muito cedo, o bebê estará conhecendo e se apropriando de sons característicos desse meio em que vive – família, comunidade, país.

Ao entrar na fase escolar, as crianças já são portadoras de um repertório musical do qual fazem parte sons familiares, músicas e canções reproduzidas pelas pessoas que conhecem. Na escola, esse repertório tende a ser ampliado e novos sons passam a fazer parte de seu universo. A voz, as brincadeiras sonoras e as canções que os educadores apresentam abrem um canal de comunicação essencial para integrá-las ao ambiente escolar e comunitário. O canto do adulto estabelece um vínculo profundamente emotivo – mais ainda, se acompanhado do contato físico, do olhar e do seu próprio gosto por cantar.

A música possibilita que cada criança perceba e reaja a estímulos sonoros, que lhes provocam diferentes reações: bem-estar, emoções diversas, curiosidade. Essas reações se tornam visíveis por meio do olhar, do choro ou de outras expressões corporais. Além de escutar e distinguir sons, as crianças vão reproduzi-los e produzir os próprios. Elas manifestam suas preferências e os corpos são importantes "tradutores" do quanto a música as afeta.

É importante não somente apresentar, diversificar e ampliar os repertórios de músicas para as crianças, como também escutar, acolher e conhecer os que elas já possuem e trazem de seus mundos familiares e comunitários. Quanto mais diversificado o repertório, mais elas terão condições de identificar elementos e desenvolver preferências musicais.

A experiência de vivenciar sons e silêncios ajuda as crianças, por sua vez, a aprender a escutar, a percepção de sons do ambiente e a reagir a eles e a músicas por meio do olhar, movimentos e expressões vocais. Elas logo passam a compartilhar com adultos e outras crianças os estados emocionais e afetivos provocados pelo entorno sonoro. Lindo caminho para aprender a escutar o outro e a vida!

Canções são belíssimas oportunidades de adentrar outras linguagens e de aprender outras culturas: cantar, sozinhas ou em grupo; participar de brincadeiras musicais; e relacionar músicas a expressões corporais e danças. Aprender a identificar diferentes paisagens sonoras, silêncios, sons da natureza ou da cultura. É importante lembrar que as crianças podem ter formas diferentes de participar ou de manifestar suas preferências e que, como adultos, precisamos aprender a descobrir, respeitar e dar valor às diversas formas de apreciação. O silêncio que parte das próprias crianças deve ser também respeitado e acolhido: pleno de significado, ele é uma experiência que contribui para o contato com suas emoções e sentimentos, um momento precioso de conhecimento acerca de si mesmo.

Brincadeiras, ludicidade

A importância do brincar na infância e suas raízes

O brincar, singular e único de cada criança, de cada brincadeira, de cada jogo e em cada grupo, diz de forma não verbal sobre os seres humanos, movimentando-se, penetrando diferentes culturas. O brincar constitui uma linguagem, é a necessidade vital das crianças e oferece a oportunidade de se expressarem espontaneamente a partir de seus potenciais individuais.

Os seres humanos sempre brincaram, nas diversas regiões, povos e culturas do mundo, atravessando tempos históricos. Formas, espaços, tempos, objetos de brincar e os próprios brincantes, porém, foram se transformando. Por mais de 7 mil anos, nas sociedades rurais, até o final do século XVIII, o brincar constituía uma atividade comum a adultos e crianças: brincava-se nas ruas, praças, feiras, rios, praias, campos etc.

Com o advento da sociedade industrial, no final do século XVIII e início do século XIX, a atividade lúdica tornou-se segmentada – ela passou a fazer parte especificamente da vida das crianças; tornou-se pedagógica, entrando na escola com objetivos educacionais. Esses fenômenos, acompanhados do surgimento do apelo ao consumo de brinquedos industrializados, da institucionalização das crianças, do movimento de entrada da mulher no mercado de trabalho, aliados à falta de espaços e de segurança nas ruas das grandes cidades, transformaram o brincar em uma atividade mais solitária.

No século XXI, na sociedade pós-moderna globalizada – que se caracteriza pela grande e veloz produção de serviços, informática, estética, símbolos e valores –, o brincar torna-se multicultural, constituindo-se em variedade de linguagens e espelho dos muitos contextos socioculturais, que dizem das vidas – particulares e universais, singulares e diversas – de cada criança e de cada grupo infantil.

O brincar: linguagem expressiva da natureza e da cultura

O brincar é a linguagem essencial das crianças, um meio pelo qual os seres humanos se comunicam e se expressam, que nos convida a olhar através dela, além dela. Compostas por regras gramaticais pontuais, as brincadeiras – narrativas lúdicas – têm seus textos com parágrafos, frases e vocabulário próprios. Embora sejam únicas, para todas existem:

- *rituais* religiosamente respeitados – como se brinca, onde, com quem;
- *tempos* próprios que independem de espaços, de tempos externos ou da autorização de adultos;
- *segredos* raramente revelados;
- *regras*, gestos, olhares, trapaças;
- *concentração* – muitas vezes tão profunda, que as crianças esquecem do mundo à sua volta;
- *consequências* a partir das ações e reações dos brincantes;
- *papéis* assumidos individualmente pelos brincantes, que mudam as tramas de cada brincadeira, que transformam os participantes.

Cada situação de brincar revela temperamentos, possibilidades e potenciais dos que dela participam. Há uma regra, uma ética moral que pode estreitar relacionamentos, abrir canais de comunicação ou romper laços.

No ato de brincar, elementos naturais incorporam-se para criar uma linguagem única e ao mesmo tempo universal, desafio próprio de cada brincante. O gesto das mãos rápidas das crianças manipulando um brinquedo, os olhares atentos, o cuidado com o tesouro de suas pedrinhas, o carrinho construído com sucatas, constituem marcas que são incorporadas a uma linguagem própria corporal, a uma atitude com relação ao outro, à construção de uma autoestima essencial para a vida. Inconscientemente, esses gestos, posturas e movimentos se repetem na vida de cada um de nós, em inúmeras atitudes diante de situações do nosso cotidiano. Nas brincadeiras, inicia-se uma das origens da construção dos seres humanos: suas linguagens.

No brincar há sempre uma história que é contada, falando das raízes e dos movimentos dos seres humanos; crianças têm suas histórias retratadas em suas culturas pela presença e importância do ato de brincar.

A cultura infantil é um tecido de fios diversos: da cultura da família da mãe, do pai, daquela criada pela própria criança a partir da sua natureza, da escola, da de seus grupos. Cada ser humano herda várias culturas que se misturaram com as outras; cada um reproduz, adentra e incorpora elementos de cada uma delas. Ocorre, na infância, um processo de produção e de reprodução cultural: um sistema simbólico acionado por atores sociais a cada momento, para dar sentido às suas experiências; aquilo que faz as pessoas conseguirem viver em sociedade, compartilhando sentidos formados a partir de um mesmo sistema simbólico. A cultura está sempre em transformação e mudança. O contexto cultural é esse sistema simbólico, imprescindível para entender o lugar das crianças. Além da cultura herdada, as crianças são tanto atores sociais quanto produtoras de cultura – não só consumidoras.

As brincadeiras são chaves para o desenvolvimento integral de potenciais aprendizagens das crianças. Brincadeiras e jogos trazem à tona valores essenciais de seres humanos; dão lugar a uma forma de comunicação entre iguais e entre as várias gerações; são instrumento para o desenvolvimento e pontes para diversas aprendizagens; possibilidades de resgate do patrimônio lúdico-cultural em diferentes contextos socioeconômicos. Brincadeiras e jogos constituem desafios deste novo século no uso do tempo livre; são sementes de possibilidades criativas; instrumentos de inserção em sociedades marcadas por preconceitos e pela competição exacerbada; são possibilidades de liderar e de ser conduzido; de falar e de ouvir. Brincadeiras podem favorecer a cura psíquica e física. E também traçar caminhos de conhecimento e descoberta de potenciais, incentivando a autonomia, a livre escolha e a tomada de decisões. Embora fontes de prazer, elas propõem inúmeras situações de conflito. Brincadeiras e jogos introduzem a competição ou o desafio da convivência e do trabalho solidário em equipe, em uma postura mais cooperativa, mais humanizada e mais atenta à natureza.

Brincadeiras tradicionais e populares

No universo do brincar existem rituais antiquíssimos que fazem parte da história da humanidade: as brincadeiras, ao mesmo tempo que são da natureza dos seres humanos, são reconstruídas em cada grupo infantil. São fenômenos arquetípicos, culturais, de transmissão oral e inter e intrageracional. Brincadeiras e jogos são universais, mas, no instante da vida de uma criança, naquele parêntese, esse brincar é único, porque é praticado por um determinado grupo, em um dado contexto, em tempo e espaço específicos.

Esse é o caso da brincadeira das cinco Marias – também conhecida como jogo dos saquinhos, cinco pedrinhas, jacks, jogo dos ossinhos, entre outros nomes –, brincada desde a Antiguidade com diversos materiais em todas as regiões do mundo. Como todas as brincadeiras tradicionais, ela apresenta um simbolismo em sua origem: os ossinhos, por exemplo, eram usados para predizer o futuro e são considerados os ancestrais dos dados. Brincadeira transmitida oralmente, constitui um desafio à coordenação motora, à atenção, uma troca não verbal dentro de um círculo sagrado de uma, duas ou mais crianças, desafiadas pelo espaço, pelos materiais, por suas habilidades. As crianças adentram outro tempo, outro universo – o delas – ao mergulharem nessa brincadeira e em outras: sem sabê-lo, estabelecem conexões céu-terra, espírito-matéria. E revelam, a cada jogada, suas autorias, imprimindo suas marcas, com gestos próprios.

A mais singela brincadeira tradicional constitui-se em um espaço de trocas, convivência, vivências, oferecendo possibilidades de apreender o mundo, os objetos e as pessoas que dele fazem parte. É brincando que as crianças se desenvolvem de forma integral, constituindo seus corpos, gestos, movimentos, linguagens (verbais e não verbais), atitudes e comportamentos, emoções, cognição, sociabilidade, valores e criatividade.

Repertórios brincantes

A partir da década de 1970 no mundo, e da década de 1980 no Brasil, um crescente movimento em prol do resgate do brincar tem trazido a importância desse fenômeno à tona nas práticas cotidianas das vidas infantis e por meio de estudos, pesquisas e publicações. Nestas, têm sido apontada a importância de olhar e conhecer os repertórios regionais, revelados em coletâneas de brincadeiras, jogos e brinquedos, espelhos de valores e culturas dos diversos grupos infantis.

Nosso país tem uma riqueza infindável de norte a sul, com culturas lúdicas heterogêneas, diversas e comuns, devido à influência das culturas europeias, africanas e indígenas e, mais recentemente, norte-americanas, sul-americanas e orientais. Assim como o tombamento de muitos monumentos materializam a história, o brincar constitui-se em um patrimônio lúdico da humanidade e, no nosso caso, da brasilidade: o conjunto de brincadeiras locais revela a linguagem cultural de cada grupo e região.[9]

Pipa, pião, peteca, amarelinha, bolinhas de gude, cantigas de roda, faz de conta, entre outras brincadeiras, são hoje enriquecidas com linguagens e imagens que fazem parte do cotidiano, da mídia e da cultura com a agilidade de um mundo "líquido" em permanente transformação: mudam os nomes, varia o vocabulário, surgem inúmeras possibilidades de tempos, espaços e objetos, mas a essên-

---

9 Ver rede de brincadeiras regionais do Brasil em http://www.escolaoficinaludica.com.br/brincadeiras/index.htm (acesso em: 17/11/2019) e também Mapa do Brincar em https://mapadobrincar.folha.com.br/ (acesso em: 18/10/2019).

cia, a origem e a estrutura de cada uma delas continuam, convidando permanentemente a um diálogo e estímulo à ludicidade e à criatividade.

Oferecer oportunidades de as crianças terem contato com a natureza, espaços variados, diversos materiais e repertórios lúdicos, ou de construírem seus próprios brinquedos, é uma forma de contribuir com a saúde e integridade mental, física e emocional: são processos, vivências e aprendizados permanentes. Nessas "brechas lúdicas" mora o germe do processo criativo dos seres humanos, oportunidades de se expressarem, possibilidades de gestar vidas mais dignas e significativas.

Patrimônios lúdicos: por dentro do Mapa do Brincar[10]

O Mapa do Brincar foi um projeto desenvolvido por iniciativa da *Folhinha de S.Paulo*, a partir da iniciativa da jornalista Gabriela Romeu. A ideia foi, junto com um grupo de pesquisadores, conhecer as brincadeiras de crianças pelo Brasil, a partir dos seus próprios depoimentos. A equipe, integrada por Lindalva Souza, Vando Queiroz, Cristiane Mendes, Luciana Portela, Renata Meirelles, Eduardo Fanis, Viviane Noguchi, Patricia Trudes Veiga, Marlene Peret e por mim, fez um amplo levantamento e análise de todos os documentos recebidos no decorrer de quatro meses de trabalho.

Tive o privilégio e a honra de ouvir crianças de todo o Brasil nos contarem suas andanças brincantes. Não pedi-

---
10 Parte deste trecho foi originalmente publicado em 2009.

ram para contar, mas quando foram convidadas, entre uma e outra brincadeira, dedinhos provavelmente melados, pés e mãos pretinhos e narizes escorrendo, nos falando sobre seus mundos lúdicos. O que mais chamou a minha atenção foi a surpreendente criatividade dessa geração: as crianças juntam brincadeiras ou trechos delas e inventam novas, com os mais diversos e divertidos nomes, que escondem a perspicácia, a esperteza, a sapiência e a malícia desses pequenos e belos seres humanos.

Adentrando os labirintos do mapa, aprendemos novo vocabulário e novas formas de coordenar verbos (ações), criar frases (regras), pontuar e narrar. Além das tradicionais e universais bolinhas de gude, peteca, passa anel, pega-pega, esconde-esconde, queimada, corda, amarelinha, batata quente, pique, cinco Marias ou pedrinhas, entre tantas outras, as crianças nos surpreendem e nos ensinam brincadeiras como: o Deus, o diabo e o anjinho, cada coelho em sua cartola, Ben 10, queimada xadrez, bola esperta, três cortes, biscoitinho queimado, estoura balão, caixotinha, o jogo da barata, procurando o Jabaculê, concurso de nariz, espaguete, Stanley, anhonha, vôlei do alfabeto, suruba, monga, chazinho, minissainha, queimada de sabão d'água, canibal, pizza envenenada, carimbo ameba, explosão, garrafa do mico líquido, televisão sem fio, língua guardião, Marlinha vem pro céu, cartinhas misteriosas, chocolate quente, vendedores de frutas, bente altas, reloginho, rasteira de tênis, vôlei Bolt, futebol de gatos, formiguinha gigante, múmia em ação, viúvo, mata batata, fusca azul, paulistinha, Torre de Babel, a corrida da charada, cabecinha, matar tanajura, pula chinelos, banda dógui, lenga lalenga, caixinha de surpresas, stop português, tech deck, salmão, meiuda, Strecks, mininoides, vacineira!, estrela e Happy Town, o reino dos dragões, misturinha, marcha do jornal, Twister, acorda, seu urso, corrida do pô, Star Wars, arma, tigre branco, desafios perigosos, batom, acorda leão. Muitos desses nomes são desconhecidos para a maior parte de nós. Essas brincadeiras são de autoria de crianças, não de adultos, por elas foram criadas e ressignificadas.

As crianças têm liberdade para desenvolver seu próprio repertório, vocabulário e brincadeiras, novidades para nós, que mostram uma multiculturalidade, incorporando elementos de outras culturas, línguas, tecnologia, mistério, objetos e personagens dos seus cotidianos, animais, alimentos, ações e figuras agressivas, sexualidade, ironias etc.

Por ocasião dessa pesquisa, recebemos materiais de crianças entre dois e 14 anos, sendo que a maior concentração c quantidade variou entre sete e 12 anos. Alguns adultos incentivaram crianças a encaminharem os materiais, outros foram recolhidos pela própria equipe da *Folhinha*, filmados, gravados e fotografados. A maior parte das crianças encaminhou suas brincadeiras por e-mail, mas boa parte delas enviou por correio as descrições acompanhadas de lindos desenhos. Foi imenso o prazer de pegar esses materiais escritos com a espontaneidade e o colorido de cada criança que fez um parêntese em seu cotidiano para partilhar conosco suas linguagens lúdicas. Linguagens que nós tentamos traduzir, decodificar, compreender e, dali em diante, brincar para levar a outras crianças. Chamou muito a atenção a dificuldade que crianças de sete anos em diante têm para escrever e o grande número de erros nos textos enviados. Com relação aos gêneros, o mapa mostra um equilíbrio na participação de meninos e meninas.

Apesar de o jornal *Folha de S.Paulo* ser mais difundido nas regiões Sul e Sudeste, tivemos uma boa representação de materiais vindos do Acre, de Alagoas; muitíssimos da Bahia e mais ainda do Ceará. Do Distrito Federal, Espírito Santo, Mato Grosso do Sul, Maranhão; imensa quantidade de Minas Gerais, Paraná, Pernambuco, Piauí; expressiva do Rio de Janeiro; pouquíssimos de Santa Catarina, Tocantins, Maceió; e a grande maioria de São Paulo. É muito interessante observar que, em São Paulo, há uma enorme representatividade vinda além da capital, de cidades do interior, sobretudo as pequenas e mais distantes.

Outra peculiaridade da diversidade recebida foi que nem todas as crianças que encaminharam materiais citam escolas como fonte principal. Associações, fundações, um número surpreendente de bibliotecas, organizações não governamentais (ONGs), centros assistenciais, muitas escolas e colégios de cunho religioso, colônias de férias, escolas municipais e grande parte das estaduais; muitos colégios; escolas indígenas do estado de São Paulo, Pontinhos de Cultura, casas de cultura e centros de artes, centros esportivos, unidades do Sesc, escolas de línguas e de música incentivaram as crianças a enviarem os materiais.

A maior parte das crianças soube da campanha por meio de suas escolas, instituições de contato, pela internet, jornalistas, educadores e no boca a boca. Mas foi também significativo o número de crianças que se inteiraram pela leitura do jornal dentro das suas instituições ou fora delas.

As brincadeiras de pique-esconde – grandes campeãs desse mapeamento – nos mostram crianças em permanente movimento, aparecendo e desaparecendo, testando sua própria esperteza e destreza, desafiando os pegadores, experimentando a sabedoria de suas perninhas, explorando os mais variados espaços. Inventando e reinventando moda.

As crianças nos contaram e tentamos decifrar suas letras, palavras e até frases pré-alfabéticas. Nossa equipe de amantes do brincar mergulhou nos labirintos das tabelas, tentando "enquadrar" as brincadeiras em nossas planilhas acadêmico-tecnológicas. Mas as crianças falaram mais alto; as brincadeiras pularam das telas de computador, dos envelopes recebidos nos encontros paulistanos regados a chazinhos, cafezinhos, bolinhos e pães de queijo na sala e no quintal da casa da Renata, fugindo das nossas "gaiolas" classificatórias para se libertar. As crianças e suas brincadeiras nos tiraram o sono para dizer em alto e bom som: nós brincamos assim, naturalmente, essa é a nossa fala, essa é a nossa língua, esse é o nosso território. Elas nos arrancaram risadas, admiração, surpresas, gargalhadas; nos enlouqueceram com a avalanche de brincadeiras que não paravam de chegar. Ficamos empanturrados, encantados com tanta ludicidade viva transpassando os poros de e-mails e cartinhas coloridas.

O que as crianças têm conseguido, e não sabem, é mobilizar muitos adultos para um mergulho profundo e sem máscaras nos seus universos: conhecidos porque cada um deles já brincou em algum momento; desconhecidos porque poucos brincam junto com elas hoje.

As crianças têm nos instigado a sair do nosso lugar, nos "desacomodaram", como diz Jean Piaget (1896-1980), e nos obrigaram a trocar nossas lentes por olhares "supimpas": esse foi o nome com que batizamos brincadeiras que julgamos especiais, diferentonas. Mas, verdadeiramente, até as brincadeiras mais comuns eram supimpas. No mar de quase 10 mil vozes que contaram suas vidas lúdicas das formas mais singelas a relatos detalhados e superdescritivos, deu vontade de estar com cada uma delas brincando junto.

A emoção e a poesia que essas crianças nos passaram só pode ser compreendida por quem tem olhares abertos, ouvidos aguçados e coração sensível, como os da equipe da *Folhinha*, idealizadora desse Mapa do Brincar; os da equipe de pesquisadores-tradutores-desbravadores de tantas ludicidades que trabalharam em ritmo incansável para alimentá-lo; os dos adultos, educadores, professores, repórteres, educadores brincantes deste Brasil afora; e principalmente os dos nossos mestres brincantes, autores e atores desse mapa: as crianças.

As brincadeiras do Mapa do Brincar – como as de tantas coletâneas virtuais e objeto de inúmeras publicações – estão sempre prontas para serem experimentadas e reinventadas por mais e mais crianças. Prontas para serem contadas e brincadas entre umas e outras ao mesmo tempo que se constitui patrimônio das nossas culturas infantis, documento vivo, em permanente transformação, dinâmico, diverso, que escapa de qualquer limite ou fronteira em que se pretenda classificá-las, enquadrá-las. Mas há um desafio maior à nossa frente, que é sua decodificação, tradução, compreensão não literal, simbólica, que diz da vida dos seus protagonistas.

PARA REFLETIR

Está na hora de brincar,
com o que cada um tiver de melhor – sua imaginação –
com o que cada um puder – seus desafios –
com o que cada um quiser. ▪

Teatro

O teatro é um grande faz de conta, uma experiência completamente integrada às outras vividas pelas crianças. Nesse brincar de teatro tem origem a criação infantil: as crianças começam a brincar de serem pessoas ou coisas diferentes, destacando ou modificando a sua própria aparência. A experiência de interagir com diferentes parceiros as leva a imitar significativamente seus gestos, movimentos e expressões.

Espaços cênicos, personagens, figurinos, objetos de cena, luzes, sons e cenários compõem a linguagem teatral. Quando as crianças representam – fazem teatro – elas se movimentam, se expressam, falam e cantam, como meio de significar situações. Seus aspectos motores, afetivos e intelectuais se associam às linguagens que elas produzem, importantes experiências no processo de construção da própria imagem e sentido de si.

Fazer teatro é um meio de narrar, de contar histórias em que palavras e imagens são as principais formas de comunicação. Os personagens assumidos pelas crianças – os papéis que elas representam ou incorporam, como príncipes, princesas, fadas, bruxas, super-heróis, bichos etc. – constituem uma essência riquíssima de pesquisas, tanto das crianças quanto dos adultos no conhecimento profundo delas, com quais as personagens mais se identificam e como os representam.

Interessante considerar as inspirações das crianças ao terem a oportunidade de criar e de representar: as possibilidades expressivas e os repertórios infantis são fortemente apoiados pela mídia, internet, redes sociais, gibis, desenhos animados, programas de televisão e cinema, campos que alimentam continuamente o faz de conta e a imaginação.

Apresentar-se para uma plateia pode ser uma experiência interessante para as crianças, porém, oferecer a elas possibilidades de se expressarem por meio de representações funciona muito mais como um desafio interior do que como performance propriamente dita. Construir roteiros é também um processo interessante, desde que o adulto deixe as crianças à vontade para escolher desenhar ou escrever as próprias histórias, encenar outras conhecidas, ou ainda situações improvisadas ou criações coletivas.

Observar crianças no papel de espectadoras de espetáculos – teatro de bonecos, fantoches, sombras ou de animação de objetos – também revela muito para quem se interessa por conhecê-las.

Literatura, contos, histórias e outras narrativas

Ouvir e ler histórias, olhar imagens, manusear livros são oportunidades para observar e escutar crianças em suas posturas, gestos, reações, preferências, na manifestação de suas emoções. São também oportunidades de introduzir temas, culturas e valores diversos. Deixá-las escolher nos pauta para conhecer suas preferências e interesses de forma mais assertiva.

A diversidade de conteúdos e repertórios que existem na literatura infantil abre o universo da imaginação, da fantasia, dos contos populares, das histórias e narrativas criadas por adultos que já têm essa capacidade de colocar-se no lugar das crianças. Os livros abrem o universo e trazem toda sorte de temas que podem apoiar crianças nas suas emoções, curiosidades e levá-las a explorar dimensões desconhecidas.

Deixar as crianças criarem suas próprias histórias, escrevê-las, desenhá-las, representá-las, brincá-las! Uma vida paralela na de cada criança. É fundamental ter profundo respeito pelo mistério que cada uma encerra em si quanto à sua proposta de vida, alegria e entusiasmo ao contar e ouvir histórias.

Sonhos

Os sonhos são expressões do inconsciente dos seres humanos, importantíssimos para apontar o não dito, o que está por trás e profundamente enraizado em todos nós. Embora nossa cultura não preste tanta atenção nas mensagens que vêm do inconsciente, é fundamental considerar que, assim como os sonhos, as artes e o brincar, revelam o lado oculto, não dito e profundo das crianças.

O psicoterapeuta junguiano Roberto Gambini desenvolveu, entre 2000 e 2007, uma importante pesquisa a partir de sonhos de crianças em três contextos diferentes: em uma escola particular de classe média alta de São Paulo, em uma favela do Rio de Janeiro e em uma comunidade indígena no Amazonas. Nas três análises, possibilitou-se a abertura de espaços nos quais as crianças, com a mediação dos adultos responsáveis, relatassem seus sonhos e os desenhassem. Os sonhos, os relatos e os desenhos aportaram conteúdos inconscientes que passaram a fazer parte dos currículos, cotidianos e readequação de atividades a partir dos temas latentes e recorrentes expressados pelas crianças.[11]

Escutar os sonhos das crianças, mesmo que não sejamos psicoterapeutas, é um meio de ficarmos próximos dos seus universos profundos. O sonho pode realmente ser evocado, muitas vezes reinventado, assim como acontece com o faz de conta ou com qualquer outra das narrativas expressivas sobre as quais refletimos até aqui. O mais importante é compreender que existem universos profundos e inconscientes que são realmente essenciais para compreendermos e conhecermos as crianças nesse desafio que é a escuta.

---

11 O relato dessas experiências encontra-se na palestra "Por uma educação com alma", ministrada em evento realizado pela Aliança pela Infância, em 2008. Disponível em: https://www.youtube.com/watch?v=ND9Kto-hev4. Acesso em: 18/10/2019.

COMPLEXIDADE DO SER CRIANÇA
Temperamentos, interesses e vínculos

Cada criança é como é,
única, especial, sensível, inteira.
Todas as crianças estão em permanente
estado de transformação,
permeáveis que são ao mundo,
aos outros, aos ambientes,
às palavras e expressões que absorvem,
aos estímulos que recebem ou à falta destes.
Cada criança é como é.
E nosso desafio não é mudá-las,
mas conhecê-las e aceitá-las
acolhê-las e propiciar situações
para que tenham vez e voz.
Dar-lhes espaços, tempos e respiros
para serem quem são.

Ideias de pensadores pós-modernos como Edgar Morin, no que se refere à temática da complexidade dos seres humanos, dentre tantas outras por ele abordadas, ou como o sociólogo polonês Zygmunt Bauman (1925-2017) sobre a vida líquida são importantes e inspiradoras para ampliar nossos olhares sobre as crianças de hoje: conhecer sua complexidade e tomar consciência do fato de que muitos episódios, objetos, eventos e relações, de tão dinâmicos, tornam-se "descartáveis".

Considerando a situação da infância na atualidade, os novos paradigmas educacionais e a urgência por mudanças, tornam-se essenciais ações e reflexões amplas e profundas para avançar nas práticas cotidianas.

Apesar de tanto conhecimento e informação disponíveis sobre as maneiras de ser das crianças, é comum que os adultos estejam sempre as comparando a um ideal preconizado pelas diferentes sociedades, pelas teorias ou pela cultura. Desafio maior é conhecer crianças nas suas diferentes realidades e aprender suas singularidades.

Crianças estão permanentemente falando e se expressando, através de inúmeros meios, sentimentos, percepções, emoções, momentos, pensamentos, mesmo sem consciência. Escutar e observá-las torna-se pauta e necessidade para compreender suas mensagens.

Cada ser humano tem uma essência particular, um dom, uma tendência. Algumas crianças têm mais propensão a expressar-se pelo corpo, pelos gestos, pelos movimentos; outras têm mais facilidade com os sons, com a palavra; outras, com expressões artísticas e criativas; e assim por diante. Há crianças mais introvertidas, mais sensíveis, mais "pensamentais", mais intuitivas. A partir da identificação de seus interesses, necessidades, temperamentos e potenciais, pais, educadores ou cuidadores têm a oportunidade de oferecer a cada uma não somente estímulos para o desenvolvimento de suas potencialidades individuais, como também desafios e a ampliação de repertórios para que experimentem outras formas, áreas, possibilidades de ser, conhecer e viver.

Identificar essas tendências individuais, sobretudo nos primeiros anos de vida, é essencial para cuidar e respeitar as singularidades de cada criança e, no decorrer do seu desenvolvimento, não matar ou violentar essas características que vão traçar o futuro de cada uma. É um grande desafio conhecê-las, escutá-las, observá-las, interpretar seus desenhos, brincadeiras, gestos, dores, agressividades, doenças: pistas para criar e oferecer atividades, propostas e ambientes adequados, conforme o momento, o temperamento, as reações e os potenciais individuais.

> **PARA REFLETIR**
>
> Algumas perguntas precisam ser feitas para elucidar o que queremos para as crianças de hoje. Prepará-las para a vida ou para o sucesso? Que se tornem seres humanos em pleno desenvolvimento de seus potenciais ou pessoas preparadas para o mercado? Que se tornem seres humanos conectados com sua verdadeira natureza de ser e com suas culturas, ou seres globalizados, sem respeito pelas suas singularidades? Queremos incluir as diferenças ou moldar todas as crianças de forma uniforme e globalizada? Respeitar e valorizar os contextos socioculturais nos quais elas crescem ou impor uma cultura global? Queremos educar ou treinar? Transformar as crianças ou potencializar suas habilidades? Nosso objetivo é realmente dar vez e voz às crianças? ∎

Temperamentos, necessidades e interesses

António Damásio (1994), entre outros pesquisadores, abriu novas perspectivas para entender as crianças: de "tábula rasa", conforme proposto por Locke (1632-1704), elas passaram a ser consideradas indivíduos com competências, necessidades e características próprias.

Afetos positivos na interação das crianças entre si e com os adultos geram sentimentos de segurança e prazer, fatores imprescindíveis para sua saúde mental. Eventos adversos ou traumáticos, físicos ou psíquicos, podem elevar os níveis individuais de cortisol, hormônio que afeta o metabolismo, o sistema imunológico e o cérebro.

Nas crianças pequenas, os cinco sentidos estão despertos – o toque, o olfato, a audição, o paladar e a visão. Acho importante citar aqui a ampliação dessa compreensão a partir dos estudos de Rudolf Steiner (1861-1925), o criador da antroposofia, filósofo, educador e artista croata, que apontou para o desenvolvimento dos seres humanos pautando-se nos aspectos da alma e da sensibilidade. A antroposofia, que significa conhecimento dos seres humanos, foi caracterizada como um método de estudo da natureza do ser humano e do universo, que amplia o conhecimento obtido pelo método científico convencional, bem como sua aplicação em praticamente todas as áreas da vida humana. Steiner (2012) define os doze sentidos.

Os quatro *sentidos básicos* desenvolvem-se nos primeiros sete anos de vida e são diretamente influenciados pelos estímulos sensoriais, podendo marcar a criança de maneira positiva ou negativa:

- **Tato**: dá a noção de nós próprios e dos limites do que está fora de nós.
- **Vida**: dá a sensação sobre o estado do corpo; bem-estar, mal-estar por meio do sistema nervoso.

- **Movimento**: dá a noção do estado da nossa musculatura.
- **Equilíbrio**: há um órgão especial no nosso ouvido interno que permite que, ao nos movermos de um lado para o outro, não deixemos para trás o que vive no corpo.

Os *sentidos intermediários* têm relação com a natureza do mundo externo e se desenvolvem entre os sete e os 14 anos de idade.

- **Olfato**: o cheiro nos é veiculado pelo elemento ar.
- **Gosto ou paladar**: revela as características das substâncias por meio de quatro tipos de sabores (o salgado, o amargo, o ácido e o doce).
- **Visão**: possibilita a percepção das cores e entrar em contato com a luz do mundo.
- **Calor**: diz sobre o equilíbrio entre a temperatura interna e a externa.

Dos 14 aos 21 anos, tomam impulso os *sentidos superiores*. São sentidos mais sutis, que revelam um mundo invisível e desvendam algumas qualidades intrínsecas das coisas e pessoas. É através desses sentidos que criamos nossas relações.

- **Audição**: por ela percebemos a diversidade de cada elemento da natureza. Entramos em contato com a essência íntima de cada ser humano.
- **Palavra**: nos ajuda a perceber a essência conceitual do pensamento humano.
- **Pensar**: possibilita perceber o pensar do outro e o nosso próprio, um caminho para compreender os outros.
- **Eu**: possibilita sentirmo-nos unos com os outros, passando a senti-los como a nós mesmos.

Por meio dos sentidos, as crianças têm a possibilidade de desenvolver a faculdade de imitar, fundamental nos primeiros anos de vida.

Até o aparecimento da linguagem verbal, elas são puro sentir, e é assim que conhecem o mundo. As crianças elaboram imagens internas – fantasias e representações simbólicas – que vão se formando e se expressando, e percepções externas que se impregnam nos seus corpos: o que ouvem, o que veem e experimentam fica gravado com maior ou menor impacto em seu ser. Essas impressões vão adaptar-se à essência de cada criança ou irão violentar, desrespeitar, ignorar, atropelar as mesmas.

A natureza de cada criança precisa ser respeitada e reconhecida para que cuidadores, pais e educadores possam acompanhar seus interesses e necessidades particulares. Ao mesmo tempo, as crianças precisam viver diversos estímulos e experiências que contribuam com seu desenvolvimento e com a descoberta de si e do mundo à sua volta. Estimular é fazer com que as crianças se tornem ativas e revelem quem cada uma é. Prestar atenção aos estímulos que podem torná-las passivas (TV, videogames e alguns brinquedos) é também muito revelador.

O diálogo entre crianças e adultos se estabelece, dentre outras formas, por meio do toque corporal, pela voz e por muitas expressões, movimentos e gestos de ambos. Crianças vão adquirindo capacidades expressivas e desenvolvendo inúmeras habilidades, caminhos para a conquista de sua autonomia. Elas são investigadoras e fazem descobertas: inicialmente seu próprio corpo, emoções, reações; o corpo dos seus interlocutores, de adultos e de outras crianças; o efeito que tem a interação com pessoas, espaços e objetos do mundo. Por essas razões é tão importante cuidar dos vínculos, dos estímulos e das propostas.

Crianças precisam de estímulos, mas sem exageros. Por isso, os espaços aos quais elas estiverem expostas – natureza, ambientes internos tranquilos ou muito barulhentos e lotados – irão interferir profundamente em suas reações emocionais. O contato com animais, parques, espaços de convivência, exposições, atividades de rua, feiras, teatro, cinema, devem adequar-se às necessidades, gostos, interesses e temperamentos de cada uma, mais do que ao conforto dos adultos. Elas precisam se movimentar, participar, conviver e intervir nos diversos espaços, e também apreciar, observar, receber estímulos, informações e aprender. Crianças têm que ter oportunidades de brincar ao ar livre, de exercitar suas habilidades em escorregadores, trepa-trepas, balanços; de ter contato com terra, areia, água; de andar de bicicleta, a pé, de patinete, de transporte público; de jogar bola, construir casinhas, inventar histórias, viajar e, sobretudo, de se relacionar com outras crianças e adultos.

Dosar as atividades diárias das crianças é sempre importante, pois elas se ressentem quando são sobrecarregadas de atividades ou obrigações. Elas precisam ter tempo para brincar livremente do que quiserem, com quem escolherem, ou sozinhas. Brincar sozinho, não fazer nada, estar à toa, viajar na imaginação e na fantasia, ler, cantar, ouvir música, dançar, fazer artes são processos fundamentais para qualquer ser humano. Hora de se recolher, de se reconectar, de se descobrir, de refletir, de sentir.

As crianças vão moldando seu temperamento desde pequenas e, em função da qualidade e quantidade de estímulos ou da falta deles, suas personalidades desabrocham ou são cerceadas. Em inúmeras ocasiões, elas são expostas a situações de violência física ou psíquica, ou a outro tipo de trauma. Dependendo dos cuidadores que as acompanham em seu processo de desenvolvimento, elas podem superar essas feridas. De uma forma ou de outra, crianças manifestam suas dores: por meio de agressividade, introversão, choro, dores físicas, medos, angústias, dificuldades concretas em seu desenvolvimento, seja dos seus corpos, linguagens, cognição ou emoções. Crianças que apresentam apatia, tristeza ou hiperatividade; crianças com problemas de sono – demorar para pegar no sono, acordar à noite, ou dormir poucas horas; crianças inapetentes, desvitalizadas ou obesas; todas essas condições são formas de expressarem, de maneira inconsciente, seus comportamentos e de revelarem seus temperamentos.

Ritmos e tempos no cotidiano das crianças

De forma geral, as famílias, sobretudo em contextos urbanos de diversas culturas, têm vivido cotidianos bastante estressantes, afetando principalmente o vínculo entre mãe e bebê. Hoje as mulheres, em sua grande maioria, trabalham fora; muitas vezes criam os filhos sem a presença de uma figura paterna; em diversos casos, essas mães são adolescentes de 14, 15 anos. Em algumas famílias são os irmãos mais velhos, avós, vizinhos ou cuidadores que tomam conta das crianças. Esses fatores interferem profundamente no desenvolvimento delas. Os bebês que dependem do leite materno sofrem o estresse que algumas mães vivem ao fazer grandes esforços para se deslocar do trabalho até a sua casa ou creche para poder amamentar seus filhos.

Se permanecem no ambiente do lar com um cuidador responsável, os ritmos cotidianos – dormir, acordar, alimentar-se, receber cuidados de higiene, brincar, experimentar, conhecer diferentes ambientes e receber estímulos adequados – passam a ser uma preocupação essencial para o desenvolvimento saudável das crianças. Aquelas que frequentam creches, várias delas permanecendo em período integral, também precisam ter seus ritmos respeitados, uma ou duas figuras adultas fixas de referência e muito tempo livre para poderem explorar espaços, materiais, pessoas, a si mesmos e desafios, possibilidades e autonomia para o seu desenvolvimento. Esses tempos/espaços livres não são sinônimo de descuido ou abandono, mas baseados na criação de ambientes aconchegantes, adequados, seguros e estimulantes, com a garantia de um adulto que acompanhe seus movimentos, curiosidades, progressos, potenciais. Esse é um enorme desafio quando consideramos o coletivo, mas os educadores têm, sim, a capacidade de conhecer e de acolher as singularidades, trabalhá-las e respeitá-las em grupo.

No que diz respeito à pressão escolar precoce, que começa já com os bebês, vem se tornando comum que eles sejam estimulados, em muitas situações, bem antes de estarem "prontos" no que se refere ao seu desenvolvimento corporal, cognitivo e afetivo. Alguns exemplos: na família, muitas crianças são estimuladas a usar andadores, ficando eretas antes de o seu corpo estar preparado. Muitos pais e cuidadores têm receio de deixá-las se movimentarem de forma autônoma para experimentar seus corpos nos espaços e interagir com os objetos à sua volta. Os pais têm se tornado superprotetores no que diz respeito à segurança, com medo de quedas, perda de equilíbrio etc. Sem dúvida, os espaços (internos e externos) onde as crianças costumam ficar precisam ser cuidados em termos de segurança e, dependendo da idade, pais ou cuidadores devem ficar junto das crianças, propiciando e estimulando a sua autonomia diante de novos desafios, sem apressá-las, já que cada uma tem seu próprio ritmo de desenvolvimento, que precisa ser conhecido e respeitado pelos adultos responsáveis.

Além da adequação de espaços e brinquedos, é importante que as crianças tenham rotinas de sono, alimentação, higiene e brincadeira. Fundamentais, essas rotinas lhes oferecem segurança e referenciais que eventualmente podem mudar, mas que constituem um aprendizado inestimável para suas vidas. Nos centros urbanos, muitos pais, por não terem com quem deixar seus filhos quando precisam sair, acabam não somente tirando-os de sua rotina, como também expondo-os a lugares e situações inadequados, com excesso de barulho, poluição, música, realizando deslocamentos que levam muitas horas no trânsito etc. Diante disso, essas crianças podem reagir com angústia, agressividade, irritação, sonolência, inapetência, passividade etc.

A mesma situação acontece em culturas ou comunidades em que crianças, desde bem pequenas, representam uma força de trabalho para o sustento familiar ou são obrigadas a trabalhar: situações absolutamente inadequadas e prejudiciais para o seu desenvolvimento físico e psíquico.

Os ritmos de horários para a alimentação e a qualidade das refeições também são essenciais, e os pais e cuidadores precisam seguir uma orientação nutricional para garantir o crescimento saudável das crianças nos primeiros anos de vida. Temos observado não só crianças desnutridas, como cada vez mais malnutridas, obesas e, por consequência, com muitas doenças como reação a essa inadequação. Alergias, problemas respiratórios, dores ou disfunções estomacais, só para citar doenças mais comuns, podem ter, dentre outras causas, origem na falta de alimentação adequada, de horários regulares para as refeições, ansiedade, medo, insegurança, pressão, atividades inadequadas e altas expectativas sobre o desempenho das crianças, ou não aceitação de ritmos ou temperamentos individuais.

Nas creches e nos Centros de Educação Infantil (CEIs), a situação da pressão é mais desafiadora. Na maior parte das instituições, o número de crianças em cada grupo é muito grande para a quantidade de cuidadores à disposição. Embora as orientações e os processos de formação continuada de educadores sejam motivo de investimento e preocupação dos gestores, essa realidade faz com que crianças tenham de se adaptar aos ritmos do grupo e/ou dos cuidadores, aos espaços e às propostas e, ao mesmo tempo, os educadores podem acolhê-las e respeitar suas necessidades e ritmos diversos. O maior desafio é poder acompanhar cada uma delas em seu processo de desenvolvimento individual e evitar pressioná-las, esperando que todas participem ao mesmo tempo das atividades propostas. Assim, proporcionar espaços seguros em que elas possam se movimentar com autonomia, explorar, brincar, experimentar e descobrir o mundo, os objetos e as pessoas à sua volta, conforme seus ritmos e potenciais individuais, sem serem pressionadas, deveriam ser prioridades.

Em outros espaços não formais, como parques ou áreas voltadas e adequadas para crianças, quando deixadas livres, elas têm maior possibilidade de viver suas infâncias, corpos, descobertas e brincadeiras sem pressão. Esses espaços e tempos são preciosos porque se mostram necessários para as crianças crescerem e se desenvolverem de forma saudável, a partir de suas singularidades e habilidades individuais. É a oportunidade de manter contato com outros mundos, entornos, crianças e adultos, atividades, que fogem daquelas cotidianas e propiciam a ampliação de repertórios, o conhecimento de si e do mundo à sua volta.

Brinquedos e consumo

A TV, as mídias, a tecnologia e o grande consumo de brinquedos são realidades nas vidas infantis. *Smartphones*, jogos de computador, videogames e outros eletrônicos vêm assumindo a função de distrair as crianças, não somente quando os responsáveis estão ocupados, mas também nas inúmeras situações e espaços por elas frequentados. É comum vermos bebês em seus carrinhos manuseando esses aparelhos. Se olharmos, porém, para o que é adequado como estímulo para crianças pequenas, esses dispositivos são absolutamente prescindíveis: muitas vezes, sem consciência, são oferecidos para distraí-las, provocando além do hipnotismo, ansiedade, dependência e a retirada da oportunidade de interagirem e usufruirem de outras experiências em que possam ser mais ativas e criativas.

No que diz respeito ao mercado de brinquedos e à propaganda voltada para o público infantil, é possível perceber que elas promovem o anseio das crianças por brinquedos sofisticados, artesanais e até de baixa qualidade, que têm ocupado papel de protagonistas na vida de muitas famílias. Os pais compram, muitas vezes, mais a partir de um desejo próprio, ou porque as crianças lhes pedem, tentando assim satisfazê-las de forma imediata, mitigando, de alguma forma, a culpa pela falta de presença no cotidiano dos filhos. As crianças acabam se tornando, de algum modo, as donas da decisão de compra. Atualmente, se compram brinquedos não apenas em datas comemorativas, como Dia das Crianças, aniversários ou Natal, mas também sem motivos pontuais e de forma permanente, com a facilidade de eles estarem acessíveis em bancas, padarias, supermercados, na rua etc.

Ao observar crianças brincando com o que ganham, alguns comportamentos chamam a atenção, dependendo do grupo sociocultural ao qual pertencem: algumas preferem brinquedos da moda; outras, brinquedos, objetos ou materiais mais simples, do cotidiano ou elementos encontrados na natureza. Quanto menos sofisticado e mais simples o brinquedo, mais rica será a brincadeira e maior a possibilidade de criação de mundos imaginários.

Muitos brinquedos prendem a atenção das crianças apenas por um determinado tempo, maior ou menor e, seguidamente, acabam sendo descartados. Junte-se a isso que nem sempre elas são orientadas a cuidar ou a organizá-los. Assim, o "ter" passa a ser uma forma de chamar a atenção dos adultos, por querer possuir o que viram na propaganda ou porque um amigo tem. Adquirir esses possíveis novos brinquedos torna-se objeto de desejo. A vida líquida, sobre a qual o sociólogo polonês Zygmunt Bauman tanto refletiu, também faz parte do universo das crianças: tudo se torna rapidamente descartável e sem valor.

Esse panorama não acontece somente com crianças que moram em centros urbanos – em apartamentos, vilas, comunidades etc. –, mas também com aquelas que moram em comunidades rurais, no interior ou à beira-mar. É cada vez mais comum as crianças perderem oportunidades de manter contato com a natureza ou vincularem-se com outras crianças ou adultos.

Os brinquedos e objetos são um meio e uma oportunidade de as crianças se comunicarem, pontes para os adultos conhecê-las, objetos por meio dos quais emoções e sentimentos, como medo, raiva, alegrias etc., são assimilados e expressados. Oferecê-los com mais consciência, adequação e parcimônia pode ser interessante para esses fins.

Em contraste, há crianças de comunidades indígenas, ribeirinhas e quilombolas cuja realidade em relação aos brinquedos é diferente: eles são geralmente construídos artesanalmente e com elementos da natureza na qual as crianças vivem e, dessa forma, elas mergulham mais no processo da brincadeira do que no apego pelo objeto em si, que, geralmente, tem pouco tempo de vida útil. Crianças dessas comunidades costumam descartar os brinquedos, pois o valor está no processo de construção, no tempo de brincar e não no possuir.

Mudanças nos vínculos, nas relações e nos papéis

Quem está educando as crianças? Onde elas constroem seus vínculos? Quais mudanças nos papéis sociais têm acontecido?

No que diz respeito à estrutura famíliar, elas são bem diversas na sociedade pós-moderna. Grande parte dos novos arranjos – com diversas composições diferentes daquela tradicional nuclear – constituem hoje as famílias, algumas carentes de orientações e informações, vivendo uma profunda crise de valores. As famílias formam pequenos núcleos de cultura: lugares de experiências e modelos de valores que cada um leva para o mundo, para a convivência em grupo.

É impossível conhecer a diversidade de realidades vivenciadas em cada família: cada uma constitui um lugar íntimo onde se tecem histórias e vidas, embora haja elementos comuns de um núcleo para outro, o que forma um verdadeiro mistério. Às vezes, indícios do que seja o cotidiano dentro de cada família chegam para os educadores por meio de expressões e manifestações das próprias crianças; outras, os próprios pais compartilham suas preocupações ou feitos dos filhos. Crianças são espelhos da vida e dos membros de suas famílias. Se soubermos ler nas entrelinhas as suas brincadeiras, atitudes, comportamentos, corpos, gestos, produções, possivelmente encontraremos alguns sinais do que vivem e recebem nos seus lares.

Muitos educadores têm se confrontado com situações complexas e reais no que se refere às crianças que recebem: sensíveis aos sofrimentos delas, sentem-se, muitas vezes, impotentes para agir, procurar a família ou prestar outro tipo de ajuda. Eles têm acolhido crianças que vivem cotidianos de violência doméstica, em espaços inadequados, que sofrem com a falta de ritmos, com sono e alimentação deficientes, que convivem com pais vítimas, muitas vezes, de drogas ou álcool, apresentam comportamentos ou desvios sexuais nem sempre adequados às idades. Enfim, crianças em risco social que, em muitos casos, têm como único espaço saudável o de creches ou de Centros de Educação Infantil.

Muitas vezes há defasagem entre as informações e teorias estudadas nos cursos de formação de professores, bem como na legislação existente com relação às reais possibilidades de implementá-las no dia a dia. Os educadores têm as duas maiores fontes de conhecimento que nenhuma teoria ou metodologia pode ensinar:

- as crianças, expressando-se por meio de suas linguagens, transmitindo mensagens sobre suas necessidades, interesses e potenciais, que precisam ser traduzidas e compreendidas;
- a possibilidade de trabalhar seu próprio desenvolvimento e aperfeiçoamento profissional para aprender a confiar em suas experiências, intuição, criatividade, ideias e potenciais. Para que possam descobrir seus próprios canais expressivos para dar abertura à expressão e para se apropriarem e atualizarem seus conhecimentos teórico-práticos.

Educadores têm também responsabilidade com relação às famílias, já que algumas delas precisam de informação e orientação que não conseguem obter por outros meios. É necessário que creches e Centros de Educação Infantil criem esses espaços, acolham e partilhem as inquietações.

A educação não formal tem importante influência na educação das crianças. Nesse contexto, elas participam de grupos de convivência com atividades oferecidas nas ruas, em ONGs, comunidades, clubes, museus, espaços lúdicos, centros de convivência, teatros, circos, cinemas infantis etc. Nesses espaços, usufruem de propostas que procuram motivar e atender crianças e pais, que têm inspirado educadores e contribuído para o desenvolvimento das crianças. Esses espaços e propostas oferecem tempo, atividades e materiais variados para elas brincarem e se expressarem por meio de modalidades artísticas, corporais e musicais. Nesses contextos, culturas infantis são transmitidas, resgatadas e ressignificadas.

Como dissemos, as mídias e o mercado têm exercido grande influência na vida das crianças. Por meio da propaganda, o mercado tem incitado o consumo desenfreado, que teve, nas últimas décadas, uma incidência preocupante no desenvolvimento das crianças, deturpando suas reais necessidades. Muitos pais se veem envolvidos emocionalmente nas demandas dos filhos, entram no movimento consumista massificado e, por vezes, encantam-se mais do que as próprias crianças pelos objetos, brinquedos, jogos e dispositivos eletrônicos oferecidos pelo mercado. As propagandas persuasivas às quais as crianças estão expostas criam necessidades artificiais, desejos, angústias e dificuldade para lidar com a falta, limites e frustração.

Os contextos citados introduzem e perpetuam valores positivos e negativos, empobrecendo ou enriquecendo a construção de novas possibilidades culturais, artísticas, aprendizagens, o desenvolvimento da imaginação, da fantasia e dos interesses, necessidades e potenciais internos individuais.

OLHARES DIVERSOS SOBRE AS CRIANÇAS E AS INFÂNCIAS
As crianças e seus mundos

Mil olhos e mil ouvidos voltados para as crianças.
Porém, continuamos cegos e surdos,
insensíveis, paralisados em nossas verdades!
Distantes, porque desconectados,
rígidos, porque sempre apressados,
cremos saber tudo sobre crianças
e nos amparamos em nossa própria educação,
nas referências dos nossos grupos,
em tantas teorias!
Porém, nem sempre nos conectamos com as crianças
que estão à nossa frente!
Elas e suas vozes,
nossos insights e emoções,
são as chaves mais importantes
para conhecer seus instigantes universos.

Algumas referências e princípios

Há em curso inúmeros processos de escuta e experiências de participação desenvolvidas no Brasil e no mundo, por meio de diálogos, interações e trocas entre adultos e crianças.

Os âmbitos artísticos e culturais – teatro, oficinas de artes, modelagem, música, dança, movimento, espaços lúdicos e propostas que valorizam tradições, raízes e memórias – são algumas das possibilidades em que têm sido dadas vez e voz às crianças. Existem também iniciativas que nascem da constatação de faltas, interesses e necessidades.

Do sensível caminho das linguagens artísticas e da valorização multicultural surgiram propostas, como ONGs que oferecem espaços para crianças brincarem livremente; espaços públicos que possibilitam contato com a natureza e com a vida em comunidade; grupos de pais e profissionais que se reúnem para garantir os direitos de crianças e jovens com algum tipo de síndrome, doença, limitação física ou psíquica; escolas que pesquisam e propõem métodos e currículos mais adequados ao seu público; fóruns escolares que dão voz às crianças; comunidades que atendem crianças vulneráveis; iniciativas que resgatam a autoestima por meio das histórias de vida de crianças abrigadas; cidades amigáveis ou propostas que as convidam a se apropriarem de espaços públicos; escolas e comunidades que têm escutado seus sonhos e descoberto medos, fantasias, desejos e perigos que habitam o inconsciente; centros de saúde e hospitais pediátricos que têm criado espaços expressivos em prol de cura física e psíquica; universidades, cursos e publicações que contribuem com reflexões, conceitos, estudos e pesquisas no campo da escuta, observação e participação com crianças e sobre elas; e mais recentemente, um movimento mundial protagonizado por crianças em defesa de mudanças climáticas[12].

As atitudes, porém, conscientes de escuta por parte dos adultos ainda são raras, complexas e desafiadoras, já que a

---

12 Saiba mais em https://fridaysforfuture.org/. Acesso em: 18/10/2019.

ideia de que o adulto é o dono do saber e da autoridade predomina na maior parte das sociedades. Eles têm grande dificuldade de silenciar e de escutar verdadeiramente, de acreditar e reconhecer que as crianças têm saberes diferentes e que é essencial conhecê-los, incorporá-los e adequar atividades e propostas socioeducativas a cada grupo e contexto.

Um primeiro aspecto a ser considerado relaciona-se à escuta das vozes das crianças: conhecer como elas se expressam por meio da palavra, do corpo, dos gestos, dos desenhos, das artes, do brincar. Essa atenção aos conteúdos e às formas de comunicação nos processos de escuta exige metodologias adaptáveis às crianças. Elas podem, por meio dos próprios registros – desenhos, maquetes, fotos, vídeos, gravações e criações diversas – comunicar as suas realidades. Porém, muito daquilo que elas expressam geralmente não é escutado nem lido. O adulto pode propor seu olhar a respeito, mas com reservas, porque talvez não consiga compreender todas as mensagens delas: sempre haverá a necessidade de dialogar e desenvolver estudos em diferentes áreas de conhecimento.

> **PARA REFLETIR**
>
> Quais caminhos e ferramentas podemos utilizar para compreender melhor as expressões das crianças? Um caminho inicial consiste, como registrado anteriormente, em o adulto se voltar para suas próprias memórias de infância e resgatar emoções e vivências significativas. Todos nós fomos marcados de forma positiva e negativa durante nossas infâncias por brincadeiras, segredos, esconderijos, brinquedos preferidos, medos, vínculos, amigos e tantas outras situações. Cada adulto pode resgatar esse período em sua vida, como um passo inicial para compreender as crianças à nossa volta. ∎

Há várias formas de escutá-las, que se relacionam com o ato de possibilitar a elas tempos e espaços expressivos: oferecer-lhes diversidade de oportunidades e materiais para expressões plásticas, espaços para brincarem livremente e para que possam se expressar com seus corpos, por meio da oralidade, da escrita, do teatro, do faz de conta, da música, da leitura e até dos silêncios. Espaços e rodas de conversa, assembleias, participação em fóruns coletivos para tomar decisões que incluam todos os membros da comunidade se apresentam como algumas das possibilidades.

A partir da escolha de materiais, espaços, objetos, brinquedos, brincadeiras, atividades, causas e amizades feita por cada criança é possível começar a compreender melhor seus mundos e começar a ler e conhecer seus códigos e seus olhares sobre suas comunidades e suas vidas. Crianças têm universos particulares: falam sozinhas, cantam, imitam, repetem palavras e frases que ouviram; vivem suas vidas enquanto desenham, brincam, tomam banho, comem, andam a pé ou estão em um veículo no trânsito; escolhem o que desejam ler, assistir, ouvir ou qual ritmo dançar. Cada uma fala e expressa a sua percepção do mundo ao redor. Cada narrativa é única, poética, essencial e diz quem é e como é cada uma delas. Abrir-se para essas manifestações, expressões e escolhas é uma brecha riquíssima para o adulto ter algumas pistas do universo e do momento vivido por cada criança. Muitas vezes elas repetem e/ou ressignificam temas escutados ou vivenciados em suas casas, uma música ouvida no rádio, um diálogo que testemunharam ou a que assistiram na rua, nas redes sociais ou na TV. Podem reproduzir brigas domésticas, recriar histórias ou sonhar acordadas. Escutar sem interromper é uma arte. Abrir um canal de comunicação a partir dessas expressões é um grande desafio.

As crianças consideradas atores sociais criam sentidos e atuam sobre o que vivem. A antropologia contribui com leituras do que elas fazem, dos sentidos que elaboram, das atividades que desenvolvem, das relações que estabelecem e de suas aprendizagens. A criança é considerada produtora, além de receptora de cultura.

A arte de escutar e observar crianças

Olhares antropológicos[13] para as crianças em seus territórios

As primeiras referências às crianças na antropologia da infância surgiram no final do século XIX, entre os evolucionistas Tylor (1832-1917) e Spencer (1820-1903), que tentavam estabelecer padrões para os estágios de desenvolvimento da espécie humana, com um discurso que atravessou aproximadamente cem anos e migrou para a pedagogia, psicologia, assistência social, medicina e direito.

Margaret Mead (1901-78) foi a primeira a romper com esses pressupostos na antropologia, no final da década de 1920, trazendo as crianças para esse campo de conhecimento e alertando para a influência da cultura em seus processos de crescimento, contrapondo-se às teorias que explicavam o comportamento infantil como algo biologicamente determi-

---

13 FRIEDMANN, Adriana. "História do percurso da sociologia e da antropologia da infância", *Revista Veras*, São Paulo, v. 1, n. 2, 2011.

nado. Mead recolheu e formatou o maior conjunto de dados etnográficos sistemáticos que existe sobre crianças em sociedades não ocidentais (3.200 desenhos infantis), ressaltando a importância de conhecer suas vidas. A autora defendia, por exemplo, que as crianças não nascem balinesas, mas tornam-se balinesas por meio de um processo educacional que está imerso em uma cultura e emergindo dela, não dependendo exclusivamente das etapas de maturação biológica do indivíduo. Mead recebeu muita influência da psicologia e sua grande contribuição foi incluir a "cultura" como variante de análise. Na década de 1970, ela apontou o desinteresse da antropologia por assuntos da infância ao tratar das potencialidades das atividades lúdicas infantis e das lacunas existentes nessa área, concordando com as ideias expostas por Philippe Ariès (1914-84) de que as crianças são consideradas seres sociais "incompletos" (1960).

Mead foi influenciada por Franz Boas (1858-1942) e por Ruth Benedict (1887-1948), ao utilizar métodos de pesquisa específicos da antropologia (qualitativos e comparativos): a *observação continuada* e a *participação* dos cotidianos das crianças, no lugar de testes, observações em contextos isolados ou na elaboração de estatísticas. Os métodos de Mead, na opinião de Bronisław Malinowski (1884-1942), Franz Boas e Gregory Bateson (1904-80) – este, pioneiro no uso da fotografia e do filme – são válidos até hoje. As imagens foram consideradas por ela extremamente importantes pelos inúmeros detalhes que mostram, muitos dos quais não poderiam ser descritos com palavras.

Em meados do século XX, os antropólogos Meyer Fortes (1906-83), Jack Goody (1919-2015) e Edward Evans-Pritchard (1902-73) se interessaram pelo estudo da organização familiar e do grupo doméstico. Eles defendiam que o indivíduo não se desenvolve só física ou biologicamente, mas que o processo de crescimento está vinculado também ao sistema social do grupo ao qual pertence, concretizado por meio de um processo educacional próprio de sua cultura e do alargamento progressivo das relações sociais que estabelece no decorrer de sua vida. As crianças continuavam a ocupar um lugar secundário e passivo nas análises feitas para ilustrar outros temas. Em seu estudo dos Nuer (1978), Evans-Pritchard mostra que as crianças são potenciais reveladoras de algo que conviria investigar.

A partir da década de 1970, a antropologia estabelece relações interdisciplinares com outras áreas das ciências humanas: história, sociologia e assistência social. A antropóloga inglesa Charlotte Hardman em seu artigo "Can there be an anthropology of children?" (2001), tenta, pela primeira vez, sistematizar as tendências e contribuições existentes na área até então. Ela começa citando a obra de Iona (1923--2017) e Peter Opie (1918-82), *Children's games in street and playground* (1984), em que os autores mostraram que as tradições infantis circulam de uma criança a outra, fora da influência do círculo familiar. Eles acreditavam que os adultos não sabem nada sobre as crianças e que, de uma geração a outra, essa cultura da consciência de si continua a não ser notada. Talvez haja uma lacuna no estudo das crianças em seu direito de expressarem sentimentos e ideias.

Os escritores evolucionistas das primeiras décadas do século XX, como Edwin Ardener (1927-87), consideraram o comportamento, o pensamento e as crenças de crianças como suportes necessários para estabelecer os estágios de desenvolvimento. Escritores da cultura e da personalidade, como John Middleton (1921-2009), ilustraram os contextos em que elas crescem e se tornam adultos, as cobranças, os castigos, a organização de grupos de pares, os rituais de iniciação e as pressões religiosas e econômicas são utilizados para guiar os jovens para a aceitação dos adultos.

Algumas dessas abordagens revelam o começo da antropologia das crianças, relacionando crenças, valores ou a interpretação de seus pontos de vista e sua compreensão do mundo. A grande diferença é que, em vez de enfatizar o diacrônico, a antropologia das crianças quer enfatizar o sincrônico: como estudar algo que está em processo de desenvolvimento? A proposta de Charlotte Hardman constituiu uma abordagem das crianças como pessoas a serem estudadas em seus próprios direitos: ela procurou descobrir se há, na infância, um mundo autônomo autorregulado que não reflete necessariamente o desenvolvimento infantil da cultura adulta. Embora as crianças se sobreponham, por exemplo, imitando ou incluindo pontos de vista adultos no nível do comportamento, valores, símbolos, jogos, crenças e tradições orais, tem que haver uma dimensão exclusiva para elas.

Claude Lévi-Strauss (1908-2009) contribuiu com a ideia da criança universal, a da natureza: o pensamento infantil providencia os recursos das estruturas mentais e esquemas de socialização para todas as culturas que, por sua vez, utilizam alguns elementos para seus modelos particulares. Lévi-Strauss assemelhou o pensamento da criança ao pensamento primitivo.

Relacionando Piaget a Lévi-Strauss, Charlotte Hardman (2001) analisou que poderiam existir alguns aspectos do pensamento mítico próximos ao pensamento da criança, como a mentalidade simbólica. A autora conclui que elas têm um mundo autônomo, independente, em certa medida, do mundo dos adultos, e que o pensamento e o comportamento social delas não seria de todo incompreensível para os adultos. Algumas observações interessantes dessa autora:

- O playground pode ser visto como um *sistema de significados* que revela uma estrutura em grande escala. Os objetos do ambiente são incorporados na brincadeira não pelo que são, mas pelos significados a eles atribuídos: eles têm que se qualificar.
- Os contextos que definem os significados do ambiente são as situações imaginárias combinadas pelo grupo: algumas delas são brincadas com tanta frequência que as crianças conhecem certas regras às quais o comportamento adere.
- As falas das crianças podem ser tomadas como partes e analisadas também em relação a outras falas ou ditados familiares. Por meio desse tipo de análise, um número considerável de valores das crianças pode ser levantado. Conceitos que têm valor na esfera do adulto começam a adquirir um valor para elas.
- Podemos começar a compreender as crianças *observando-as* e *escutando-as* e, depois, *interpretando* o material coletado a partir de métodos diferentes. Aqui começa, talvez, uma antropologia das crianças que pode ser estendida para:

a) a elaboração da ideia de um sistema semântico que não só depende do discurso, mas também do ambiente biofísico;
b) a construção de algum tipo de eixo de noções analíticas de formas de pensar aplicáveis às crianças, como o pensamento mágico;
c) a análise das falas das crianças;
d) o exame das tradições orais, suas brincadeiras, atividades de recreio e os valores por trás deles;
e) a análise de desenhos infantis.

Será somente na década de 1980, com a abordagem socioantropológica – representada por pensadores como William Corsaro, Manuel Jacinto Sarmento, Régine Sirota, Jens Qvortrup, Clarice Cohn e Ângela Nunes, entre outros –, que voltam à tona as significações que as crianças atribuem aos diversos componentes dos seus estilos de vida, levando em conta a diversidade de comportamentos, representações e contextos de naturezas múltiplas. As ciências sociais começam a formular pensamentos sobre os grupos infantis, considerando as crianças atores sociais que têm voz, linguagens, como criadoras de culturas, que têm direitos e precisam ser ouvidas e (re)conhecidas.

As ideias de pensadores pós-modernos como Edgar Morin quanto à complexidade dos seres humanos e as do sociólogo Zygmunt Bauman sobre a vida líquida têm influenciado a forma como vemos as crianças em sua complexidade, e na realidade de que muitos episódios, objetos, eventos e, inclusive, relações, de tão dinâmicas, tornam-se descartáveis. A evolução das ideias a partir das propostas desses pensadores evidencia a necessidade de mudanças de postura com relação aos universos infantis e seus estudos: partir das crianças para o estudo das realidades da infância.

O antropólogo norte-americano Lawrence Hirschfeld (2002) apontou que o pressuposto da antropologia dos processos realizados pelas crianças, melhor do que por quaisquer outros, é o da aquisição cultural do conhecimento: as crianças formam subculturas semiautônomas.

Como principais referências na área da antropologia da infância, no Brasil, podemos citar Florestan Fernandes (1920-95), Aracy Lopes da Silva (1949-2001), Ângela Nunes e Clarice Cohn. Florestan Fernandes, cuja obra de referência sobre seus estudos relacionados à infância é "As 'trocinhas' do Bom Retiro" (2004), defendia o registro dos elementos constitutivos das culturas infantis com base em observações de grupos de crianças dos bairros operários de São Paulo que brincavam na rua. Ele entendia a criança como participante ativa da vida social: observou, registrou e analisou como se dava o seu processo de socialização e como se constituíam as culturas infantis. Com base nos estudos dos folguedos infantis, o autor afirmava que os grupos infantis apresentam-se como grupos de iniciação à vida adulta (FRIEDMANN, 2007).

Roger Bastide (1898-1974) prefaciou a importante obra de Florestan Fernandes, ressaltando a importância do estudo do folclore infantil, enfatizando a dificuldade de comunicação entre o mundo dos adultos e o das crianças. Ele defendia a multiplicação das pesquisas nessa área e a importância de estudar as "representações infantis, conhecer mais sobre o mundo de brinquedos, brincadeiras e jogos". Afirma que "para poder estudar a criança é preciso tornar-

-se criança", não adianta só observá-la, "é preciso penetrar além do círculo mágico que dela nos separa, em suas preocupações, suas paixões, é preciso viver o brinquedo" (BASTIDE, 2004, p. 195).

Aracy Lopes da Silva desenvolveu pesquisas com crianças indígenas e propôs a criação de uma antropologia da criança ou da infância para desvelar uma dimensão da realidade social a partir de pesquisas etnológicas: "que se escute o que ela tem a dizer, que se veja o que ela faz, que se seja sensível ao que ela sente, que se acolha o que ela expressa" (LOPES DA SILVA et al., 2002, p. 240).

A antropóloga Ângela Nunes (2003) apontou o trajeto da antropologia da infância e desenvolveu pesquisas junto a comunidades indígenas. A antropóloga Clarice Cohn contribuiu com suas reflexões teóricas, apontando possíveis diálogos das pesquisas antropológicas com a psicanálise, a psicologia, a pedagogia e as ciências da educação, com a história da infância, as ciências jurídicas e a formulação de políticas públicas.

Em 2005, Clarice Cohn apresentou alguns exemplos, reforçando a ideia de que há, na infância, um processo de produção e reprodução cultural. Ela apontou uma revisão do conceito de cultura pelos antropólogos: os dados culturais não são valores ou crenças, mas a lógica que os conforma – um sistema simbólico acionado pelos atores sociais a cada momento, para dar sentido às suas experiências; aquilo que faz as pessoas viverem em sociedade compartilhando sentidos formados a partir de um mesmo sistema simbólico – "valores" como palavras de uma frase, "cultura" como sistema linguístico que possibilita articular palavras, frases, ideias. A cultura está sempre em transformação e mudança. O contexto cultural é esse sistema simbólico, imprescindível para entender o lugar da criança: é estruturado e consistente. Os indivíduos passam a ser vistos como atores sociais, recriando a sociedade a todo momento. Esses conceitos-chave da antropologia possibilitam ver a criança de uma forma totalmente nova, em que exerce um papel ativo na definição de sua própria condição.

Clarice Cohn defende uma antropologia da criança e não da infância, entendendo essa última como um modo particular, não universal, de pensar a criança. Em cada sociedade, a ideia de infância é definida de forma diferente, e uma antropologia da criança deve ser capaz de apreender essas diferenças. A análise antropológica deve abranger outros campos para entender o que significa ser criança nesses contextos (por exemplo, as concepções particulares de "ser humano"). As vivências das crianças são diferentes em cada lugar e, portanto, devem ser compreendidas em cada contexto sociocultural.

A questão é: como as crianças formulam um sentido para o mundo ao seu redor? Elas não sabem menos que os adultos; sabem outras coisas. A antropologia da criança dialoga com as análises de desenvolvimento cognitivo. A antropologia da criança quer saber a partir de que sistema simbólico as crianças elaboram sentidos e significados.

Falar em uma cultura infantil é universalizar, negando particularidades socioculturais. Falar em culturas infantis é mais adequado. Mas devemos ter o cuidado de compreender que elas podem não ser exclusivas do universo infantil: por exemplo, as brincadeiras infantis não constituem uma área cultural exclusivamente ocupada por crianças. Para entender o que elas fazem nessas brincadeiras, é necessário compreender a sua simbologia. É importante observar em contexto as concepções, os meios e processos sobre a condição social das crianças.

Podem constituir objetos de pesquisa social das culturas infantis:

- suas vivências;
- suas representações;
- seus modos próprios de ação e de expressão.

Para que um estudo sobre crianças seja antropológico, ele não precisa dizer respeito a crianças de outras culturas e sociedades: pode ser realizado sobre fenômenos e temas próximos do próprio meio social do pesquisador, evitando a ilusão do conhecimento prévio, uma vez que ele deve ser capaz de reaprender o que lhe parece tão natural. Como afirma Clarice Cohn (2005, p. 50), "quanto mais óbvio parecer o que se vê e ouve, mais se deve desconfiar e procurar desatar as tramas".

O que diz a sociologia da infância?

Paralelamente aos primórdios da antropologia da infância começa também um movimento na área da sociologia. O francês Émile Durkheim (1922-75) realizou estudos sobre socialização infantil que tinham como pano de fundo a necessidade de integração social do indivíduo. Embora tenha sido criticado também com relação aos conceitos similares ao esquema de desenvolvimento "etapista" de Piaget, interessa-nos a introdução da ideia de que na sociedade infantil é importante observar o *desenvolvimento social*, em vez do biológico. Talcott Parsons (1951) deu continuidade a essa ideia afirmando que a educação também era importante para eliminar possíveis desvios de integração do indivíduo no grupo. Em 1982, o sociólogo Chris Jenks sistematizou essas ideias e apontou que as crianças deviam ser consideradas seres de potencialidades para serem colocadas em contato com outros seres humanos. Ele apontou a dificuldade em prestar atenção ao mundo das crianças, uma vez "tornadas" adultos. Norman Denzin propôs, em *Childhood socialization* (1977), a necessidade de construir uma teoria que desse conta das questões que emergiam das várias infâncias existentes no mundo.

O ano de 1979 foi proclamado o Ano Internacional da Criança pelas Nações Unidas, que desenvolveu uma série de estudos sobre a situação mundial da infância que provocariam grande impacto na opinião pública a respeito dos bolsões de pobreza das grandes cidades e de algumas áreas rurais europeias. Na década de 1980 começaram a ser criadas ONGs voltadas para a proteção da infância – Fundos das Nações Unidas (Unicef), Terre des Hommes, Save the Children, World Vision, entre outras –, as maiores responsáveis pela reunião de dados significativos sobre a infância. Os cientistas sociais tinham, em geral, pouca participação e havia pouco diálogo entre o universo científico e o de movimentos militantes. Ainda assim, trabalhos científicos importantes começaram a surgir:

- Em 1982, na London School of Economics, aconteceu um seminário sobre o tema de as crianças adquirirem a cultura dentro da qual são socializadas. Participaram desse seminário antropólogos, sociólogos, psicólogos e historiadores, e o resultado foi uma bibliografia selecionada por Christina Toren (1990) a respeito de estudos sobre etnografia da infância.
- Entre 1989 e 1994 foi desenvolvida a pesquisa europeia "Childhood as a social phenomenon" em 19 países, sob a coordenação do sociólogo dinamarquês Jens Qvortrup, que inaugurou um espaço de investigação científica sobre a infância, vital para as crianças e para a reflexão que se faz nas ciências sociais e na educação.
- Até o fim da década de 1990 surgiram importantes centros de investigação:
  - Centre for the Social Study of Childhood – University of Hull, na Inglaterra;
  - Centre for Child – Focused Anthropological Research – University of Brunel, na Inglaterra;
  - Norwegian Centre for Child Research – University of Science and Technology, na Noruega, que edita a revista *Childhood*;
  - Centro de Investigação em Estudos da Criança – Universidade de Minho, em Portugal;
  - Centre for Research on Childhood and Adolescence – Universität Bielefeld, na Alemanha;
  - Centro de Estudos sobre a Infância – Universidade Santa Úrsula, no Brasil, em que se abriram novas disciplinas nos cursos universitários, seminários e linhas de pesquisa.

- Commission on Anthropology of Children, Youth and Childhood – University of Sambalpur, na Índia, criada no âmbito do International Union of Anthropological and Ethnological Sciences (IUAES), que desenvolveu, em 2003, o XV World Congress.

Alguns temas de discussão naquele período foram os direitos das crianças, abuso sexual, violência e tráfico, condutas sociais e políticas da infância e juventude, uso do espaço, modelos de investigação sobre crianças e com elas.

No Brasil foram a exploração do trabalho infantil e a delinquência juvenil que, na década de 1970, mobilizaram as atenções, e assim foi encomendada pelo Tribunal de Justiça de São Paulo uma pesquisa desenvolvida pelo Cebrap (1972) – "A criança, o adolescente e a cidade" – que, com outra realizada no Rio de Janeiro, marcaram o primeiro envolvimento das ciências sociais com as questões relativas à infância no país. Na segunda metade do século XX, categorias como "menor abandonado" e "meninos de rua" eram por todos conhecidas, gerando denúncias, reportagens e debates. Inúmeras teses na área de psicologia, educação e assistência social foram defendidas. Na *Revista Brasileira de Estudos Pedagógicos* (1979), no Ano Internacional da Criança, foram publicados vários textos sobre a infância e, em 1988, Alvim e Valladares realizaram um levantamento bibliográfico significativo sobre a criança no Brasil. Apontado o estado da arte, fez-se necessários sair da discussão crítica, torná-la propositiva e melhorar a qualidade para construir uma nova epistemologia sobre a infância.

Em 1990, os britânicos Allison James (antropóloga) e Alan Prout (sociólogo) reuniram o material resultante das pesquisas das décadas anteriores e construíram uma proposta metodológica e teórica de investigação, identificando a emergência de um novo paradigma para o estudo social da infância. Delimitaram seis princípios-base desse paradigma:

- A infância entendida como uma construção social não é característica natural nem universal dos grupos humanos, mas um componente específico estrutural e cultural de várias sociedades.
- A infância deve ser considerada variável de análise social – há uma variedade de infâncias.
- As relações sociais e a cultura das crianças merecem estudos em si mesmas.
- As crianças devem ser vistas como ativas na construção e determinação de sua própria vida social.
- A etnografia é um método útil ao estudo da infância, que possibilita à criança participar e lhe dá voz direta na produção de dados sociais, mais do que por meio de outras pesquisas.
- A proclamação do novo paradigma da sociologia da infância deve também incluir e responder ao processo de reconstrução da infância na sociedade.

Esses pontos tiveram grande impacto para as investigações antropológicas e sociais sobre a infância. Mas uma das problemáticas que persiste é "como trazer a relação entre o processo biológico e o social?". O conceito de socialização é teoricamente crucial, em torno do qual se renovaram alguns interesses antropológicos, por exemplo, com relação a sociedades orientais e de tradição oral.

Em 1998, seguindo as reflexões elencadas anteriormente, a inglesa Christina Toren afirmava que a teoria de Piaget era mais do que a sistematização de estágios. A importância da contribuição dessa pesquisadora está na construção de uma nova epistemologia sobre a infância, por juntar os saberes e práticas da psicologia com a antropologia. Toren criou um centro de investigação sobre a infância na Brunel University, em Londres: o Child-Focused Anthropology. A abordagem não trata de multiplicar etnografias sobre a infância de uma dada sociedade, mas deve ser parte de seus estudos – caso contrário, eles ficariam incompletos.

Ian Butler (1996) afirma que o que se sabe sobre crianças é o que os adultos sabem, não o que as crianças têm a dizer. Irene Rizzini (1993) defende a participação e o protagonismo das crianças na elaboração e execução de programas de ação social. Raúl Iturra (2000) afirma que os adultos não valorizam o que as crianças sentem e que cada sociedade é multicultural. Ele aponta a existência de três culturas: a infantil, a adulta e a erudita. A infância precisa ser estudada de acordo com as características mutáveis do contexto em que é vivida. Crianças adotam e absorvem a realidade dos adultos à sua volta e vão, ao mesmo tempo, recriando-a e construindo seus próprios universos simbólicos, que só elas entendem. Mesmo assim, todo adulto já foi criança, também viveu de acordo com essa realidade da qual ele se distancia.

Raúl Iturra ainda define "epistemologia infantil" como o conhecimento ativo e criador das crianças, o que elas sabem do mundo em que vivem, dos que as rodeiam e de si mesmas. Essa é uma definição nova sobre a infância que estimula um interessante debate sobre a origem e a construção do desenvolvimento infantil. Ele considera a educação (processo social) e a escola (local principal do processo educacional) como figuras centrais para o estudo da infância e distingue:

- o processo de aprendizagem, que é inerente à descoberta, à invenção, à troca, à representação e à recriação da realidade;
- o processo de ensino, que regulamenta a vida das crianças do que está além de seu cotidiano, introduzido por meio da escola, que apresenta um conhecimento universal.

Os cientistas sociais portugueses Pinto e Sarmento (1997) se perguntaram sobre a natureza da produção das culturas infantis, assumindo sua pluralidade. Reabre-se a discussão particular/universal – fundadora da ciência antropológica –, no centro da qual estão os diferentes modos como a infância, como construção social, manifesta unicidade. Há uma mudança de atitude ética e metodológica em curso: partir das crianças para o estudo das realidades da infância. Os cientistas que continuam a falar pelas crianças têm tido grande dificuldade, mesmo se pensarem que não, em relação à questão da alteridade. As crianças continuam a ocupar um lugar marginal nas ciências sociais.

Os sociólogos ingleses James, Jenks e Prout (2002) colocaram quatro princípios de investigação antropológica sobre a infância:

- A infância é considerada construção social: defende sua pluralidade e diversidade, liberta a criança do determinismo biológico.
- O mundo social da infância é considerado um mundo à parte, cheio de significados próprios, e não um precursor do mundo adulto. A infância socialmente estruturada, não familiar para os adultos, é passível de ser revelada pela pesquisa etnográfica.
- As crianças são consideradas um grupo minoritário, "um outro silenciado" e pretende-se dar-lhes voz, sugerindo pesquisas que se façam *para* as crianças e não só *sobre* crianças.
- A infância é considerada categoria socioestrutural, com características universais: sua manifestação varia de uma sociedade a outra, mas é uniforme na mesma sociedade.

> **PARA REFLETIR**
>
> Acredito também, e muito fundamentalmente, em todos os processos educacionais que acontecem fora da educação formal, em que expressões espontâneas das crianças têm lugar e, onde, por excelência, são construídas as culturas infantis. ■

Outros olhares e camadas de escuta e observação

Defendo ser imperativo e urgente criar diálogos interdisciplinares e intersetoriais, com o intuito de validar e integrar as vozes infantis. Considero que a escuta e a observação caminham de mãos dadas. Em meus livros *O universo simbólico da criança* (2005) e *Linguagens e culturas infantis* (2013) me debrucei pontualmente sobre o conceito de observação. Vou aqui tratar com mais detalhes da ideia de *escuta*. Considero que escutamos não somente com os ouvidos e observamos não apenas com os olhos. Os processos de escuta e de observação acontecem com todos os nossos sentidos, com nossa presença e entrega plena.

Há várias camadas a serem consideradas quando refletimos sobre a escuta. Ela não é uma abstração e sua qualidade depende do sujeito que escuta. Trata-se de uma ação complexa que podemos comparar às diversas tramas, fios, redes de conexão e interligações de um tecido. Usemos a imagem de uma espiral: em cada curva descendente, passamos por diversos níveis de escuta, que vão se aprofundando. Essa imagem diz respeito a essas diversas camadas que dependem do ser humano que está ali se conectando a outros a partir de histórias, personalidade e psique de cada um. Vejamos algumas dessas camadas, começando com o conceito e a filosofia da escuta.

Conceito e filosofia da escuta

"Escuta", do latim *auscultare*, significa "ouvir com atenção". Escuta é presença, vínculo, conexão, respeito. Mergulho no mundo do outro: não só em sua fala, mas no olhar, no gesto, no tom, nas emoções alheias que podem nos tocar. Escutar é estar plenamente presente. Acolher o momento do outro. Adentrar a paisagem do outro, conhecer e reconhecer o outro em sua singularidade, em seu momento e em seu tempo. Escutar é doar-se, entregar-se ao outro.

A escuta não é um fenômeno: aprende-se a escutar. Tem a ver com a postura e a atitude de quem escuta. Todos queremos ser escutados; nem sempre, porém, há simetria nesse processo de comunicação e são diversas as formas de escutar o outro, especificamente as crianças. Muitas vezes não conseguimos escutar quem nos escuta, mas com esse nosso interlocutor, seja ele quem for, podemos aprender a escutar.

Posso escutar o olhar do outro, a poesia do outro, a música do outro, o corpo do outro, seu brincar, sua arte, seus gestos e seus olhares. Também suas inseguranças, seus medos, suas verdades, sua desconfiança, seu desconforto. A escuta pode trazer descobertas, alegrias, aprendizagens, emoções inesperadas, insights, possibilidades de transformação. E incômodos: silêncios, o não saber, espera, brechas, estranhamentos, desconfortos.

Tramas históricas, biográficas e políticas

A partir do momento em que um adulto se predispõe a escutar uma criança ou um grupo de crianças, ele já está se posicionando quanto aos seus valores: a consideração pelo outro, o acolhimento do diferente, o movimento de conhecê-lo mais profundamente, o estabelecimento de um vínculo de afeto, uma atitude de compaixão, reverência e abertura para o conhecimento. Escutar uma criança implica escutar a história de sua vida, sua biografia (por menor que seja, conforme a idade). E, junto, a história de seu clã familiar, de suas raízes multiculturais. Adentramos, no ato da escuta, em universos únicos, mesmo que sejam brechas e pequenas frestas que se abrem para o conhecimento do outro. Mistério profundo e fascinante, cada ser humano!

Tramas culturais

Essa camada considera a diversidade de raízes e influências multiculturais de cada sujeito. Escutar a partir da diversidade nos desafia, a cada encontro com um outro, a conhecer as singularidades únicas de cada ser humano, a adentrar na cultura do grupo social e da comunidade em que cada um está inserido. Temos tudo a aprender e descobrir quando nos devotamos a escutar as crianças.

Tramas educacionais

Sem dúvida há uma relação evidente entre escuta e educação. A educação já foi considerada um processo de ensino-aprendizagem no qual há aquele que ensina – o professor, dono do saber, que professa o conhecimento – e aquele que aprende – o aluno que assimila, absorve. A educação também já foi considerada um processo que promove ou facilita o desenvolvimento do outro.

Nessas duas visões, a educação nunca foi simétrica, recíproca: trata-se de relações assimétricas de poder. Aquele que ensina assume o papel de intervir, corrigir, modelar, quer produzir desenvolvimento e/ou transformação nos outros. Geralmente tem um método/caminho planejado e mira para o futuro. Ao depararmos com a possibilidade de compreender que essa relação pode se inverter e/ou se igualar, passamos a considerar que em uma relação educacional todos têm a aprender e todos têm a ensinar.

É nesse contexto que se faz necessário voltar ao passo anterior, que é o de se predispor a escutar. A partir do momento em que o educador se abre para tal, seus interlocutores podem contar com que ele também esteja aberto para ser escutado. As relações adulto-criança se transformam, são ressignificadas e ganham outros contornos e possibilidades de comunicação, trocas, aprendizagens e crescimento mútuos.

Para que escutar? Essa é uma das questões mais recorrentes. Escutar para conhecer o outro, para reconhecer sua singularidade, sua potência, seus interesses, necessidades e emoções. E poder, assim, repensar nossas atitudes e propostas com relação aos outros. Aquele que escuta, silencia, observa, coloca-se a serviço do outro, respeita, acolhe. Abre-se para aprender, para o desconhecido, para o inesperado. Está presente. Se escutarmos antes de educar, poderemos então ir além da simples transmissão de conhecimento e potencializar o que há de mais essencial e único no outro, caminhando para uma relação mais equilibrada.

Tramas psicológicas: escutar e olhar para o inconsciente

Escutar nos leva à situação de sermos afetados pelo outro, de sermos transformados, impactados. A partir do momento em que estou presente, integrado, acolhendo o outro com base em minha escuta, me abro para estabelecer ou aprofundar vínculos, para o diálogo, para relações simétricas, democráticas, amorosas.

Ao escutar e observar, nos aprofundamos para compreender o não dito, o que está por trás e por baixo, nas profundas camadas do inconsciente. Esse é o maior desafio:

ler os bastidores e os significados do brincar, da arte, dos corpos, das doenças, das reações e comportamentos das crianças. Com muita delicadeza para não sair "interpretando", mas considerando nossos insights e o simbolismo das manifestações infantis. Olhar o que pode parecer "pequeno" com muito cuidado e atenção, e compreender que, ao escutar e observar uma criança, escuto e observo também a minha criança interior.

Por trás de uma situação que pensamos compreender, esconde-se um mundo inconsciente nem sempre facilmente acessível. Com as crianças, mesmo que em um primeiro momento possa parecer que elas são mais transparentes, verdadeiras e compreensíveis, há um universo imaginário e reações não reveladas ou não verbalizadas que vão ou não ser escondidas, reprimidas, caladas, ou aparecer por meio de linguagens simbólicas: corpos, emoções, produções, brincadeiras. Esse outro lado do não dito é o que nos interessa e é o mais desafiador no que diz respeito ao conhecimento profundo das crianças.

Olhares fenomenológicos, psicanalíticos e microgenéticos

Há inúmeras formas de escutar e de observar crianças. O conhecimento desses caminhos é importante para o pesquisador – ou para qualquer indivíduo que queira conhecê-las –, pois ele não somente terá acesso à diversidade de possibilidades de escutar, ver e ler os universos infantis, como também de incorporar elementos e inspiração de várias fontes em seu trabalho – conforme cada grupo social, local e tempo.

Além da abordagem antropológica anteriormente apresentada, a *fenomenologia* aborda importantes caminhos de escuta. Do grego *phainesthai*, o fenômeno é aquilo que se apresenta ou que se mostra; e *lógos* significa "explicação", "estudo". Trata-se de uma metodologia e corrente filosófica que afirma a importância dos fenômenos da consciência, os quais devem ser estudados em si mesmos. Os objetos da fenomenologia são dados absolutos apreendidos por intermédio da intuição, com o propósito de descobrir estruturas essenciais dos atos e as entidades objetivas que correspondem a elas.

O alemão Johann Wolfgang von Goethe (1749-1832), também um dos expoentes da fenomenologia, que por meio de princípios alquímicos (água, terra, ar e fogo) buscava chegar à alma humana, tinha como premissa a apreensão do fenômeno, olhar para as essências e a valorização da percepção sensorial.

Pesquisadores do Território do Brincar[14] desenvolveram processos de escutas e observações fenomenológicas do brincar de crianças de diferentes contextos, experiência relatada no documentário *Miradas* (2019), com direção de Renata Meirelles e Sandra Eckschmidt[15].

No que se refere à escuta *psicanalítica*, trazemos as ideias do pediatra e psicanalista inglês Donald Woods Winnicott (1896-1971) sobre o verdadeiro *self* e as do filó-

---

14 Programa de escuta, intercâmbio de saberes, registro e difusão da cultura infantil. Disponível em: https://territoriodobrincar.com.br/o-projeto/. Acesso em: 1º/12/2019.
15 Disponível em: https://www.videocamp.com/pt/movies/miradas. Acesso em: 18/10/2019.

sofo Maurice Merleau-Ponty (1908-61): ambos reafirmam a importância da autenticidade das crianças.

Winnicott acreditava que cada ser humano traz um potencial inato para amadurecer, para se integrar. O fato de essa tendência ser inata, porém, não garante que ela realmente vá ocorrer: dependerá de um ambiente facilitador que forneça cuidados suficientemente bons, sendo que, no início, esse ambiente é representado pela mãe. Ele estudou as etapas do desenvolvimento emocional das crianças desde o seu nascimento.

Merleau-Ponty afirmava que, quando uma criança imita, ela o faz buscando a relação com o objeto, experiência a partir da qual é capaz de perceber: deseja aquele resultado para si e o imita conforme suas percepções, sem compreender as intenções daquele que age. Merleau-Ponty buscou entender como as crianças se relacionam com o mundo antes que possam pensar ou refletir sobre suas experiências. As crianças têm voz, e essa voz possui eco.

É importante também citar o biólogo, psicólogo e epistemólogo suíço Jean Piaget (1896-1980), que desenvolveu pesquisas voltadas ao desenvolvimento e à aprendizagem que partiram da observação das crianças e seu entorno. Piaget mostrou como elas conhecem e apreendem o mundo à sua volta, desde o nascimento até a idade adulta, com pesquisas que revolucionaram as ideias sobre a infância.

A *análise microgenética* é uma metodologia baseada na matriz histórico-cultural do pensador russo Lev Vygotsky (1896-1934), proponente da psicologia cultural-histórica, que apontou que o desenvolvimento intelectual das crianças ocorre em função das interações sociais e condições de vida.

Ele contribuiu com a ideia de que existem dois níveis de desenvolvimento: um *real*, já adquirido ou formado, que determina o que a criança já é capaz de fazer por si própria, e um *potencial*, que é a capacidade de aprender com outra pessoa.

Vygotsky propõe a investigação do nível *microgenético* das interações sociais baseada em uma observação detalhada de determinado sujeito, sempre levando em conta as interações que se estabelecem em processos culturais vivenciados pelo indivíduo ao longo do seu processo histórico, em contexto social e cultural específicos. Essa observação atenta, que considera o recorte de episódios interativos, resulta em uma descrição minuciosa das relações intersubjetivas.

Maria Clotilde Rossetti-Ferreira e Zilma Morais Ramos de Oliveira são referências importantes da pesquisa microgenética no Brasil, concentradas no Centro de Investigações sobre o Desenvolvimento Humano e a Educação Infantil (Cindedi)[16].

> **PARA REFLETIR**
>
> Trocar as lentes, os pontos de vista,
> escutar desde nossos insights e percepções
> com o coração e com a intuição.
> Trocar uma e outra vez nossas lentes,
> pois as possibilidades são tantas
> quanto às diferentes crianças,
> quanto aos diferentes momentos,
> quanto ao estado de ser de quem escuta.
> Não há um caminho único, nem atalhos.
> Há muitas ramificações.
> Para chegar onde?
> Na verdade de cada criança. ■

---

16 Disponível em: http://www.cindedi.com.br/. Acesso em: 18/10/2019.

DELICADEZAS DO ESCUTAR AS CRIANÇAS E SEUS MUNDOS
Respeito, ética, presença e comunicação

Como acessar paisagens, rostos, gestos do invisível?
Como apreender realidades
dos mundos imaginários infantis?
Como apreender gestos que tanto expressam
e que as palavras não podem dizer?
Como ler corpos nas paisagens do mundo?
E paisagens dos rostos infantis?
Onde encontramos a alma das crianças?
Que maneiras para falar com elas?
Como traduzi-las ao mundo sobre elas?
Se elas nos deixarem?!
Um universo imenso a desvelar!

Ética

A ética, tema central que não pode ser deixado de lado quando se trata de processos de escuta e de participação, constitui o conjunto de normas construídas de forma coletiva, de respeito, humanização, fraternidade e esperança dos grupos humanos, no que se refere a direitos, obrigações, benefícios para a sociedade, equidade e determinadas virtudes; e também, no que tange à vida de crianças, suas vozes, expressões, produções e comportamentos.

A ética, diferentemente da moral – a norma, a regra instituída, construção temporal –, constitui um *espaço de liberdade* que nos permite fazer transformações para mudar, questionar, protestar. A moral se herda, a ética se constrói! A mudança torna-se necessária quando o repertório de valores, relações e significados já não dão conta da realidade, não promovem satisfação ou visão de futuro.

Historicamente, a identidade e as tradições estavam ligadas à etnia ou ao território. Hoje se perdeu, em grande parte do mundo, o respeito às diferentes identidades. Por meio da ética manifestamos o *respeito* pela inteligência e singularidade de cada ser humano. A ética cria significado. Os conceitos éticos básicos são a *confiança*, o *respeito* e a *honestidade*. Humanizamo-nos no convívio, sustentando reciprocidades.

Quando tratamos da escuta e da observação de crianças, alguns questionamentos se fazem necessários:

- Por que escutar?
- Para que escutar?
- O que fazemos com o que escutamos?
- Como damos devolutivas do que escutamos?

Sônia Kramer (2002), em um artigo muito pertinente, contribui com a questão da ética nas pesquisas com crianças. Ela aponta e problematiza questões que dizem respeito à autoria delas e ao direito ao anonimato, embora sejam autoras de suas vidas e produções. Kramer discute também a fotografia como metodologia de pesquisa e suas implicações, e o tema da devolutiva para as crianças, sobre o qual nos debruçaremos a seguir. Essas questões devem ser pensadas a cada processo de escuta, observação e pesquisa com crianças. Por estarmos em processo de construção de possibilidades éticas, precisamos colocar uma lente de aumento sobre esses temas.

Existem padrões internacionais éticos nas pesquisas com crianças – Ethical Research Involving Children/Investigación ética con niños[17] – criados pelo Unicef (2013) e outros organismos parceiros. Hoje, o debate sobre o registro de fotos, imagens e produções infantis também está em pauta.

Atitudes de escuta por parte dos adultos são ainda raras, complexas e desafiadoras, já que a ideia de que eles são donos do saber e da autoridade predomina na maior parte das sociedades. Nós, adultos, temos grande dificuldade de silenciar e escutar verdadeiramente; acreditar e reconhecer que as crianças têm saberes diferentes dos nossos; e que é essencial conhecê-los, incorporá-los e adequar atividades e propostas socioeducacionais a cada grupo e contexto.

O cuidado ético que devemos assumir nesses processos de dar voz e escutar crianças tem a ver com respeitar seus tempos, seus espaços, sua intimidade, suas emoções, suas escolhas; estarmos abertos para acolher suas essências, seus potenciais, aceitar suas limitações e preferências. Todas essas atitudes são fundamentais para não violentar seus mundos. É desafiador aprender a lidar com o equilíbrio entre tempos de falar, ensinar, propor, intervir e tempos de escutar, apren-

---

17 Disponível em: https://childethics.com/wp-content/uploads/2015/04/ERIC-compendium-ES_LR.pdf. Acesso em: 18/10/2019.

der, estar junto, tomar distância e observar. Negociar com elas combinados e regras. Saber colocar limites, sim.

Existem diferentes formas de exercitar a ética em relação às crianças e a primeira delas é pedir licença para adentrar seus territórios, para nos aproximarmos, para nos sentarmos junto, brincarmos. Ainda, para tirar fotos, filmar ou realizar quaisquer outros tipos de registro. Ao pedir licença, estabelecemos não somente um vínculo de confiança, como também a possibilidade de diálogos, explicando, na medida da compreensão de cada idade, a razão da nossa curiosidade e vontade de conhecer seus mundos. Nossa aproximação respeitosa significa também aprender a escutar e compreender suas linguagens expressivas, assim como o que vivem, o que sentem, do que gostam, seus lugares cotidianos, seus hábitos, suas referências, seus amigos, seus afetos etc. Mas precisamos também aceitar – e respeitar – que as crianças podem nem sempre querer compartilhar seus mundos, segredos ou vivências; ou ter seus dizeres, narrativas, processos, produções ou imagens expostos ou compartilhados. Como saber? Só fazendo o exercício de nos colocarmos em seu lugar.

Construindo uma cultura ética para as infâncias

Neste panorama, uma das questões mais preocupantes é, justamente, o uso que tem sido feito de tudo o que vem das crianças, por parte de inúmeros atores sociais, sem levar em consideração que há uma ética, no que diz respeito ao tratamento e ações voltadas para as crianças e suas vidas. Essa é questão premente e urgente a ser refletida, cuidada, construída e posta em prática onde quer que haja crianças.

Essa discussão – que tem suas bases na Convenção das Nações Unidas sobre os Direitos da Criança (1989), no Estatuto da Criança e do Adolescente (ECA, 1990) e, sobretudo a partir da violação dos direitos básicos das crianças – precisa ser conhecida e debatida por toda a sociedade, como condição urgente e premissa essencial em prol do respeito primordial a toda e qualquer criança, independentemente de etnia, religião, condição física, psíquica ou social.

Veicular imagens, eventos, depoimentos ou falas de crianças ou sobre elas tornou-se tão corriqueiro no cotidiano de todos os cidadãos que se perdeu o bom senso e a ética, no que se refere à privacidade e ao respeito pelas vidas infantis. As redes sociais são as que, de longe, lideram essa exposição, seguidas pela mídia, pelo mercado e pelas diversas estratégias de marketing. Até as instituições que, por excelência, têm crianças como seu público-alvo expõem imagens e falas delas em reuniões de pais, fóruns, dentre outros eventos.

A partir do momento em que se começa a ter consciência da importância de escutar e de observar crianças em seus contextos e territórios cotidianos espontâneos, sem a interferência dos adultos, instaura-se o desafio de uma mudança de postura ética e metodológica: não mais partir de verdades universalmente reconhecidas pelo mundo adulto a respeito das crianças, mas considerar e aprender a escutar e a decifrar o que elas vivem, sentem e pensam, a partir de suas próprias vozes.

Estou aqui defendendo respeitar os tempos das crianças, seus ritmos, suas preferências, seus medos, frustrações, escolhas. Estou falando em pedir licença a elas para adentrar seus universos: seus espaços, seus brincares, suas produções, suas emoções. Estou afirmando a necessidade de parar de avaliar, classificar, criticar ou querer modelar crianças conforme nossos padrões adultocêntricos (que variam de um contexto a outro) e começar a conhecer seus universos particulares. Estou falando de acolhê-las em suas dores, feridas, conquistas, descobertas, produções e criatividades. Estou também falando em não tomar decisões unilaterais por elas ou para elas, acreditando que não tenham a capacidade de opinar sobre suas próprias vidas. Estou falando de levar em conta suas vozes, incômodos, vontades, limitações, sentimentos, emoções e, sobretudo, potencialidades, com o intuito de repensar e adequar atividades, espaços e programas a elas oferecidos, seja em casa, na escola, no bairro ou na comunidade.

Longe de estar afirmando que escutar e observar crianças signifique fazer suas vontades! Acredito que devemos considerar e incorporar algumas das pistas que elas nos dão a partir de seus brincares, de suas produções artísticas, de suas narrativas, de suas preferências, das expressões dos seus corpos, movimentos e gestos, das "falas e mensagens" que se manifestam por meio de doenças físicas e psíquicas, de feridas ou dores. Escutar e observar crianças de forma ética é um início de estrada a ser trilhado.

Ética é respeito, é consideração por um grupo social formado por crianças que têm direito de experienciar vidas significativas, raízes que vão determinar o ser humano e o cidadão em que cada criança tem o potencial e o direito de se transformar.

É necessário chamar a atenção para alguns equívocos e desvios que têm sido veiculados quando se fala ou se trabalha com crianças e/ou para crianças. Alguns grupos, inclusive de especialistas na área da infância, têm trazido a "participação infantil" como uma bandeira, defendendo-a em diversos fóruns, sobretudo políticos. A meu ver, essa continua sendo uma forma de violação dos direitos das crianças por aqueles que acreditam ser seus guardiões: mais uma vez é o adulto incentivando ou empurrando as crianças a participar ou a se colocar, não de forma espontânea, em fóruns políticos ou em eventos, manifestações e outras situações que, naturalmente, não são espaços de crianças nem para crianças. Se naturalmente ou a partir de interesses espontâneos, e até de convites, elas expressarem sua vontade, ideias, sentimentos, percepções, posturas e pensamentos a respeito de temas que as afetam – por exemplo, aqueles que se referem aos seus territórios, às ruas e ao entorno da sua cidade, à sua escola ou ao equipamento em que convivem –, aí sim é de maior importância e valor escutar e acolher suas vozes e opiniões. Isso é democracia e um exercício de direitos civis. O que preocupa é quando os adultos atravessam vontades e interesses infantis ou colocam ideias ou pensamentos do universo adulto na pauta das crianças.

Em alguns países e culturas, movimentos e vozes infantis nascem a partir das próprias crianças, principalmente pelas condições de vida, trabalho, violência e exploração a que estão expostas. É preciso muito cuidado para revermos certas práticas e movimentos que têm surgido de uma vontade dos adultos afirmando que "as crianças participam ou são protagonistas". Precisamos deixar de "usar" as crianças. Elas naturalmente participam e estão sendo protagonistas em seus cotidianos e territórios próprios. Somos nós, adultos, pais, educadores e outros atores preocupados com elas, que não as estamos escutando, compreendendo e muito menos respeitando seus espaços e tempos onde e quando elas realmente se colocam das formas mais inusitadas.

Assumindo essa postura cuidadosa e atenta, e com vários grupos de pesquisadores, tenho incentivado o desenvolvimento de pesquisas, diálogos, interações e trocas entre adultos e crianças. Durante os processos de escuta, muitas têm tido oportunidades de exercerem o protagonismo que, na verdade, acontece a todo tempo e em todos os espaços em que elas vivem e convivem, por meio das mais diversas formas de expressão. Esse protagonismo possui um caráter político, social, cultural, ético, espiritual, que convida a repensar o status social da infância, os papéis das crianças na sociedade local e o conceito cultural dos diferentes povos.

Algumas ideias de como chegar aos universos das crianças – lembrando que chegar, convidar ou pedir licença não significa que elas aceitarão! – podem ser propostas a elas:

- criação de mapas ou maquetes de seus entornos, do seu território, da sua rua, do bairro ou da cidade onde moram;
- brincadeiras de faz de conta ou criação e apresentação de peças de teatro retratando seus cotidianos ou suas emoções;

- criação de histórias, histórias em quadrinhos, produções plásticas ou musicais;
- escrita ou desenho de suas histórias, as das suas famílias, dos seus grupos de amigos ou colegas de escola;
- fotografar, filmar ou desenhar seus temas de interesse.

Há várias e sérias iniciativas de escuta e observação que vêm sendo desenvolvidas nesse sentido, assim como possibilidades de oferecer tempos e espaços de expressão para as crianças. Muitas delas podem ser conhecidas no Mapa da Infância Brasileira[18].

> **PARA REFLETIR**
>
> Crianças são naturalmente protagonistas e têm o direito de participar espontaneamente, opinando, expressando seus pensamentos, vivências e sentimentos. ■

Caminhos e possibilidades de escuta e observação

A partir dos estudos de autores de referência da antropologia da infância e, em diálogo com inúmeras áreas de conhecimento, pautada por princípios éticos e pelo alcance de diversidade de culturas e grupos infantis, venho desenvolvendo, desde 2011, processos de escuta, pesquisas com crianças e formação de pesquisadores, considerando brincadeiras, produções artísticas e expressões corporais, e outras narrativas infantis.

---

18 Disponível em: https://www.facebook.com/mapainfanciabrasileira/. Acesso em: 18/10/2019.

Alguns desses processos de pesquisa e formação de pesquisadores têm se desenvolvido nos seguintes contextos:

- Aplicação de *processos de escuta de crianças* – Vozes da Infância Brasileira (VIB) –, dentro da Comunidade de Aprendizagem do Mapa da Infância Brasileira[19], em diversos equipamentos e regiões da cidade de São Paulo. Paralelamente, desenvolvemos processos contínuos de formação junto ao grupo de pesquisadores[20].
- Promoção de orientação para mais de sessenta organizações para processos de escuta no escopo do projeto "Se essa rua fosse minha – Vamos ouvir as crianças", idealizado pelo grupo de ação Escuta de Crianças do Mapa da Infância Brasileira, que resultou em processos de escuta em hospitais pediátricos, escolas, creches, ONGs e outros equipamentos.
- Promoção de cursos livres de *formação de pesquisadores*, um deles no Centro de Pesquisa e Formação (CPF) do Sesc São Paulo, orientando um grupo que desenvolveu esses processos de escuta em 17 organizações[21]. A publicação dos resultados foi reunida em

---

[19] Disponível em: https://www.nepsid.com.br/ascriancas. Acesso em: 18/10/2019.

[20] Grupo de pesquisadores do VIB integrado por: Ana Helena Oliveira, Bianca Pereira, Carolina Prestes, Fernanda Cury, Gabriela Romeu, Júlia Noda, Karina Silva, Lindalva Souza, Lisian Migliorin Lasmar, Rita Camargo, Roselene Crepaldi, Vivian Garcia e Adriana Friedmann.

[21] Pesquisadoras participantes: Andrea Desiderio, Auira Ariak, Beth Castro, Daniela Signorini Marcilio, Fernanda Serra Tavares, Joyce Xavier Salustiano, Ketienne Moreira da Silva, Maria da Penha Brant, Massumi Guibu, Maytê Amarante, Piéra Cristine Varin, Renata Pires Pinto, Thais Harue Tanizada, Ziná Filler e Adriana Friedmann.

2018 no livro *Escuta e observação de crianças: processos inspiradores para educadores*[22].

- Criação do curso de pós-graduação *lato sensu* "A vez e a voz das crianças", com o intuito de formar pesquisadores e profissionais voltados para a escuta e a observação de crianças, sediado em A Casa Tombada.

Os resultados desses processos de escuta têm apontado para a diversidade de singularidades, realidades, culturas, anseios e conhecimentos das crianças sobre seus territórios e a partir de suas próprias "vozes".

As temáticas escolhidas em cada um desses processos foram extremamente diversas, dependendo da faixa etária, do grupo, da região, do equipamento etc., produção de conhecimentos muito relevante para os estudos na área de escuta de crianças.

> **PARA REFLETIR**
>
> *Sawabona Shikoba!*
> "Sawabona" é um cumprimento usado na África do Sul e quer dizer: "Eu respeito e valorizo você. Você é importante para mim".
> Em resposta, a pessoa diz "Shikoba", que significa: "Então, eu existo para você". ∎

Vozes da Infância Brasileira – Processo de escuta de crianças

As pesquisas desenvolvidas aconteceram a partir da vontade de conhecer culturas infantis em diferentes grupos de

---

[22] Disponível em: https://www.academia.edu/36620650/Escuta_e_observa%C3%A7%C3%A3o_de_crian%C3%A7as_processos_inspiradores_para_educadores. Acesso em: 18/10/2019.

crianças que moram em áreas urbanas, entre 2014 e 2016. O grupo do VIB desenvolveu essas pesquisas em favelas, comunidades, coletivos, praças, junto a crianças imigrantes, abrigadas, que frequentam espaços lúdicos com suas famílias, moradoras das periferias da cidade, entre outras.

Em um espírito de respeito e valorização das vozes infantis, e com o intuito de dar voz a crianças de diversos contextos e culturas, que participam de variadas iniciativas, criamos propostas para escutá-las e conhecê-las. O que nos moveu foi um profundo compromisso e preocupação com todas elas, suas vozes, seus direitos, suas expressões e suas produções.

O principal objetivo do VIB era observar, escutar e conhecer o cotidiano e as inúmeras atividades espontâneas das crianças, para compreender suas preferências, interesses, potenciais etc., a partir dos seus próprios olhares e linguagens expressivas.

Três profissionais iam a campo para atuar junto a cada grupo pesquisado. Suas responsabilidades consistiam em: observar e apreender interesses, necessidades e potenciais das crianças e, a partir deles, idealizar e propor atividades lúdico-criativas que as motivassem a expressar seus cotidianos, sentimentos e vivências; acompanhar e registrar essas expressões, falas e produções; dar devolutivas, tanto para os educadores responsáveis quanto para as próprias crianças.

A solicitação de autorizações para registros em áudio, vídeo e imagens, tanto por parte dos adultos responsáveis – pais e/ou cuidadores – quanto das próprias crianças sempre foi praxe do grupo de pesquisa.

Considerando a variedade de iniciativas, contextos e programas existentes voltados para crianças, a escolha dos grupos, locais e datas foi realizada de comum acordo com as organizações parceiras. O principal critério foi a diversidade de grupos, culturas e contextos de crianças, institucionalizadas ou não, nas cidades de São Paulo e do Rio de Janeiro.

Atividades propostas nos processos de escuta

A partir de propostas e atividades várias, a equipe de pesquisadores proporcionou às crianças momentos importantes e significativos em que elas puderam, de forma espontânea, expressar seus múltiplos saberes, realidades e interesses. Desenhamos uma gama de atividades lúdicas abertas que permitiram serem adequadas de acordo com os vários públicos, faixas etárias e contextos, conforme passavam pelas diferentes etapas planejadas.

Os desenhos de caminhos e possibilidades de escuta e reconhecimento dos repertórios, linguagens, realidades, culturas e saberes de crianças é um desafio para todos nós – educadores, professores, gestores e pais. Desafio que passa por desenvolver, aprofundar e construir novos conhecimentos, originados pelas vozes e expressões das crianças dos diversos grupos e contextos. Esse desafio se torna maior em face de uma indispensável e urgente mudança de postura ética e metodológica em que os adultos precisam se tornar, também, *aprendizes e ouvintes*. Essa mudança mexe estruturalmente com as propostas levadas às crianças dentro da escola, da família ou da comunidade, e traz questionamentos a respeito do papel dos adultos nas relações, processos educacionais, desenho de currículos, programas, projetos e outras atividades. Faz com que se torne imediato e necessário repensar em como adequar espaços, tempos e atividades para os diversos grupos de crianças que vivenciam seus cotidianos nos âmbitos da família, da escola, da rua, da comunidade, do clube, do centro cultural, do museu, do hospital e de tantos outros espaços. É urgente nossa mudança da postura adultocêntrica na tomada de decisões sobre as vidas das crianças e para elas, no respeito às suas singularidades e raízes multiculturais, às suas vozes e autorias.

Alguns dos caminhos e ferramentas utilizados nesses processos:

- Observação participante – interação direta e contínua do pesquisador com as crianças.
- Compilação de desenhos e histórias elaborados pelas crianças.
- Registros audiovisuais.
- Interlocução direta com as crianças.
- Observação de brincadeiras.
- Elaboração de maquetes.
- "Leitura" de expressões artísticas.
- Diários de campo compartilhados.
- Devolutivas compartilhadas.

O processo de dar devolutivas para as crianças fazia parte não somente do nosso compromisso ético com relação ao direito que elas têm de participar dos processos de escuta, mas também pelas incríveis reações e emoções que essas devolutivas despertaram em cada uma que aprecia suas próprias produções e as dos seus pares. Uma das formas possíveis de dar devolutivas é a organização de murais de fotos ou das próprias produções delas.

Nessas escutas constatamos o quanto as crianças são capazes de descobrir e utilizar tempos e espaços para brincar: brincadeiras tradicionais, cantigas, jogos com as mãos ou com as palavras, corda e bola estão sempre presentes, ressignificados conforme cada contexto e realidade, como ações de resistência da infância, mostrando que as crianças, se as deixarmos, vivem suas infâncias em qualquer lugar.

Meninas e meninos, aos pares e em grupos, cantaram, imitaram gestos e se movimentaram espontaneamente pelo espaço das salas ou espaços ao ar livre. Afloraram corpos ávidos por expressão, corpos brincantes. Todos, com muito entusiasmo, mostraram o que sabiam. Nos desenhos, os detalhes das ruas, dos muros, das grades, o parque de diversões com uma enorme roda-gigante, cheia de bandeiras coloridas foram retratados; desenhos com pais, irmãos, avós, outros adultos e animais de estimação, cachorros, gatos, pássaros e peixes, todos representados como membros que compõem essa grande família, adornada por corações, são registros que mostram a importância de cada iniciativa na vida das crianças.

As construções com papéis, palitos, massa de modelar, flores, insetos e adornos retrataram as habilidades das crianças, transformando os materiais em ideias tridimensionais que ultrapassam os traços e transbordam em detalhes e possibilidades. Durante os processos dos desenhos, dobraduras ou modelagens, algo que era individual tornou-se coletivo no comentário e na opinião sobre o traço ou a cor, na partilha das canetas, do giz de cera, do papel, no auxílio para a exposição, na reorganização do espaço, na solidariedade e na colaboração para guardar o que foi usado. Atitudes que expressam o quão solidárias, autônomas e cooperativas as crianças são quando o adulto as respeita e as ouve.

Na cidade de São Paulo, seja na zona Sul, numa instituição que oferece atividades socioeducativas, culturais e de interação comunitária no contraturno escolar; seja em praças públicas em convivência com a vizinhança do bairro; ou no intervalo do culto de uma igreja da zona Leste; na comemoração dos 25 anos do Estatuto da Criança e do Adolescente na zona Oeste; seja em comemoração do Dia das Mães no centro da cidade; ou no Dia das Crianças em parques e da zona Norte da cidade; em espaço lúdico frequentado por bebês, em abrigos, em ONGs situadas em bairros de extrema vulnerabilidade nas periferias da cidade; todas as crianças e jovens que concordaram em participar dos processos de escuta tiveram a oportunidade de escrever, cantar, desenhar, representar, deixar mensagens, construir suas ideias, expressar seus desejos e impressões sobre os lugares que frequentam, as casas em que moram, as ruas por onde transitam, as características das suas vizinhanças, suas necessidades, desejos e sonhos.

Apresentamos aqui alguns relatos sobre a escuta nas diversas instituições que abriram suas portas e contribuíram para a criação e implementação de uma diversidade de atividades abertas, que permitiram passar pelas diferentes etapas dos registros, adequando-os aos diferentes públicos, faixas etárias e contextos. Em alguns desses momentos de escuta, quando realizados na presença das famílias, observamos o quanto os adultos interferem e direcionam as escolhas feitas pelas crianças.

Nesses processos de escuta respeitosa, a equipe do VIB conseguiu trazer à luz a beleza e a criatividade das ações, produções, expressões e narrativas das crianças, marcadas pelos traços simples e coloridos, que transmitem toda a força de ser criança!

> **PARA REFLETIR**
>
> É nos olhares e nos pequenos gestos que se consegue captar as crianças. ∎

O Projeto Casulo é uma ONG dentro da Favela do Morumbi (zona Sul de São Paulo) que atende crianças entre seis e 14 anos, além de pais e educadores das classes D e E. A partir do conhecimento do público, foram propostas atividades em espaço interior, onde meninas e meninos, aos pares e em grupos, cantaram, imitaram gestos e se movimentaram espontaneamente.

Na laje, foi proposto o uso de pincel e água para aproveitar a luz do sol e poças d'água. Essa brincadeira causou surpresa. Os brincantes se puseram a pintar o chão, as paredes, as grades... Foi interessante observar como elas se inquietavam quando o sol secava seus desenhos e como havia criatividade com poucos e simples recursos.

Já o Movimento Boa Praça é uma ONG que atua mobilizando moradores e vizinhança em diversas praças públicas. Relatamos parte da experiência do VIB na zona Oeste de São

Paulo, junto a crianças entre três e 14 anos e suas famílias, das classes B e C. Na chegada à praça, pudemos ver a movimentação dos participantes (crianças, jovens e adultos), animados pelo dia ensolarado, organizando o espaço: a mesa para o lanche coletivo, o canto para leitura, o brinquedo inflável, o lugar para a fogueira e a instalação do balanço. A equipe do VIB escolheu um lugar sombreado para montar a proposta lúdica. A distribuição dos materiais chamou a atenção das pessoas presentes e houve engajamento de crianças e adultos. Levamos canetinhas, giz de cera, papéis e sugerimos a todos que expressassem a importância do Movimento Boa Praça em suas vidas. Crianças e adultos em interação criaram com linhas, cores e formas desenhos singulares. Alguns escreveram palavras para expressar seus sentimentos. Foi interessante ver como nas produções apareceram temas como amor, carinho, cuidado, natureza, família, entre outros. Os participantes nos contaram o quanto esse é um projeto de grande impacto e relevante na vida dos que ali estavam.

Algumas falas das crianças também chamaram a nossa atenção. Maria Eduarda (oito anos), que se concentrava no vai e vem do balanço, disse: "Eu gosto do balanço. Eu sinto o ar em mim". Alguns momentos de descoberta, encantamento e interação aconteceram, por exemplo, com Clara (quatro anos) ao interagir com sementes de urucum: a novidade em sua vida, a descoberta das possibilidades do urucum, e a socialização desses novos conhecimentos com outras crianças e adultos.

No Sacolão das Artes, ONG em bairro de extrema vulnerabilidade na zona Sul de São Paulo, que atua junto a crianças entre quatro e 12 anos das classes D e E, conseguimos reunir um pequeno grupo que demonstrou interesse e curiosidade com a nossa presença. Perguntamos, então, nome, idade e o que elas gostavam de fazer ali. Algumas falaram que gostavam de tirar fotos, outras, que preferiam brincadeiras tradicionais como andar de bicicleta, brincar de casinha, de pega-pega e de escolinha.

Perguntamos para as crianças e jovens se eles desejariam fotografar o lugar de que mais gostam no projeto e se poderiam nos contar por que o escolheram. Mariana (11 anos) fotografou a porta de entrada do projeto: "Quando a gente entra, sabe que é hora de brincar! Quando ela abre, a gente brinca do que a gente quiser e encontramos os amigos". Viviane (11 anos) gosta da rede preta, um equipamento para malabaristas: "Aqui a gente deita, é gostoso e macio. Gosto também de balançar". Tirou a foto e, quando viu a imagem, ficou surpresa: "Olha, parece aquele bicho que mora no fundo do mar! Uma arraia? É uma arraia gigante!". Um espaço que acolhe crianças que passam muitas horas do dia sem atividade, um oásis no entorno de um bairro de extrema vulnerabilidade social: a possibilidade de se expressarem, conviverem com outras crianças e serem motivadas a desenvolver atividades lúdicas e artísticas.

No Centro de Criação de Imagem Popular (CECIP)[23], no Rio de Janeiro, se deu o evento "Cidade para Brincar". O objetivo foi escutar as crianças sobre seu bairro, sua cidade, lugares onde brincam, segurança, higiene, trânsito, preferências, o que gostam de fazer e brincar, o que desejavam que fosse diferente, o que sua família quer, o que falta, o que precisa.

---

23 Disponível em: http://www.cecip.org.br/site/. Acesso em: 1º/12/2019.

Durante o processo de escuta, disponibilizamos materiais diversos para facilitar a expressão das crianças e as convidamos a registrar o que pensavam sobre a cidade. Construíram uma maquete comparativa: "o que temos e o que queremos". Tiraram fotos e filmaram o processo de construção.

No evento de 25 anos do Estatuto da Criança e do Adolescente (ECA), realizado em São Paulo, no Largo da Batata, em Pinheiros, junto a crianças das classes B, C e D, elas se expressaram por meio de brincadeiras, desenhos, dobraduras e construção de máscaras. As crianças foram cativadas pelos materiais e pela possibilidade de criar livremente. As famílias e os adultos que lá estavam se somaram a elas naturalmente.

O Centro de Apoio e Pastoral do Migrante (Cami) tem dois espaços que recebem famílias de imigrantes bolivianos em São Paulo das classes D e E. A maior parte dos pais nasceu e veio da Bolívia, e os filhos nasceram no Brasil. As crianças interagiram com uma infinidade de brincadeiras: carrinho de mão, brincadeiras cantadas, de roda e futebol. O espaço se transformou em um enorme parque de brincadeiras trazidas pelas próprias crianças, que ficaram muito entretidas e alegres. Elas tiveram liberdade para brincar, e os adultos acompanharam sem interferências. Eram 52 crianças e foi desafiador agrupá-las. As meninas mais experientes nos ajudaram a coordenar as menores e a orientá-las. Ávidas para participar e ainda assim respeitosas, pegaram o material e se espalharam pelos tatames, enquanto as mais novas sentaram-se juntas e muito tranquilas criaram um grande painel de desenho coletivo. A maioria ficou concentrada e se envolveu com a pesquisa. Terminavam um desenho e já pediam para fazer outro. Dividiam o material de forma harmoniosa e nos pediam o que não encontravam. Cada uma se representou por meio de um desenho de si própria e foram criados álbuns de figurinhas com as histórias familiares. Foi um momento importante no qual a maioria delas foi ajudada pelos colegas mais velhos, que se revezaram na colagem, na organização do material e no recolhimento das autorizações de uso de imagens.

O Pepe Internacional é um programa socioeducativo promovido por Missões Mundiais, criado em São Paulo em 1992. Hoje, são mais de trezentas unidades espalhadas por 24 países da África e da América Latina e mais de 11 mil crianças atendidas, sobretudo bolivianas, de quatro a seis anos, que vivem em situação de vulnerabilidade social. Nesse espaço observamos as crianças nas atividades direcionadas e lhes propusemos que desenhassem de forma livre com giz no chão de concreto. Apareceram interessantes imagens e falas que revelaram muito das suas realidades, sentimentos e interesses.

O Cadê Bebê nasceu com o objetivo de disseminar a brincadeira e atender crianças de até três anos de idade, das classes A e B, a partir de um olhar muito atento para a primeira infância e para as relações familiares: um espaço para criar, se desenvolver, explorar e brincar. Encantamento, explorações, sensações, tempo, interações foram as impressões das pesquisadoras do VIB a partir da observação dos bebês, suas interações com os adultos, com seus pares, espaços e materiais oferecidos.

O Espaço Alana Jardim Pantanal foi originado em uma comunidade vulnerável no extremo leste de São Paulo. Tem por missão fomentar o desenvolvimento local por meio de ações socioeducativas e de articulação comunitária. Atende crianças de até 12 anos. Elas se mostravam muito à vontade, e observamos que circulavam livremente entre a biblioteca, a brinquedoteca e o espaço livre com alguns balanços, onde a brincadeira livre acontecia. Brincavam do que queriam, na hora que desejavam, sem grandes preocupações para aonde aquilo as levaria.

As brincadeiras tradicionais apareceram com força: pega-pega, esconde-esconde, pular corda. Conflitos apareceram, como em qualquer brincadeira em que muitas crianças estão envolvidas, e ficou evidente o papel dos educadores responsáveis: com tranquilidade, eles mediaram os conflitos, intervindo sempre no sentido de ampliar os diálogos, ceder, entender qual era a questão colocada, ressaltando sempre que o que estava ali era de todos e era para ser brincado junto, em parceria.

As crianças têm oportunidade para a livre expressão: com o material disponível, elas têm liberdade para criar. Luigi (nove anos) movimentava a borracha para apagar o desenho de um coração. A pesquisadora fez uma observação: "Mas o seu desenho é tão diferente dos outros... Você viu os vários corações desenhados por outras crianças e pelos educadores?". Ele observou os desenhos dos colegas e ficou pensativo... Aproveitou aquele tempo só dele para "dar forma" ao seu projeto. Resolveu então recriar as linhas do seu coração. No tempo dele, investigou cores, criou coragem e pintou a parte interna do seu coração. Esperou mais um tempo e separou outras cores de giz de cera e canetinha. Mais uma pausa e arriscou o contorno.

Giovana (dez anos) brincava de faz de conta no espaço da brinquedoteca. Aproveitou que o lugar estava quase vazio e escolheu alguns tecidos e utensílios domésticos para criar um ambiente só dela. Do lado de fora, os pesquisadores observavam. Ela delicadamente organizava os objetos de forma harmoniosa e bela. Preparava algo para alguém comer. Seria para ela? O tempo era estendido porque não havia pressa. Manipulava os utensílios com tranquilidade, lentamente, como se tivesse todo o tempo do mundo. Ela calmamente distribuiu o que havia preparado com muito cuidado e afetuosamente degustou com prazer.

Esses são dois exemplos de inúmeros conteúdos que surgiram nesses processos de observação. O mais interessante para a equipe de pesquisadoras foi a experiência da "devolutiva" que foi dada às crianças, oportunidade em que os desenhos que muitas delas realizaram e as fotos que tiramos foram expostos em um período definido para tal. A reação delas foi mais um momento importante de insights para nós sobre elas.

O Centro Social Nossa Senhora do Bom Parto/Casa Coração de Maria, entidade filantrópica ligada à Pastoral do Menor e fundada em 1946 no Tatuapé, zona Leste de São Paulo, desenvolve ações com foco na assistência a jovens da região, destituídos de seus direitos. O abrigo ao qual fomos aplicar o VIB, Bompar, acolhe desde bebês até adolescentes. O processo de escuta e observação foi profundamente mobilizador: as crianças construíram casinhas com caixas de papelão e, tanto no processo, nas falas, quanto nas produções finais, mostraram muito de sua vida, de seus desejos, de suas emoções e realidades.

Esses processos de pesquisa e de escuta de crianças em tão diversas situações e locais mexeu profundamente com cada um dos pesquisadores do VIB. Mudou nossos olhares e pontos de vista com relação às crianças, ampliou e aprofundou nossa sensibilidade e conexão com tantas diferentes infâncias. Além de escutarmos e nos envolvermos com as diferentes crianças em cada um dos equipamentos, nosso papel, como estrangeiros nas terras infantis, foi o de traduzir, de sermos porta-vozes das crianças, no sentido de contribuir com as equipes de educadores de cada grupo, levando aspectos dos universos infantis que, na correria do cotidiano em que tantas atividades e propostas são desenvolvidas, raramente conseguem se deter nesses processos de escuta e observação detalhados e profundos. Desde o início esclarecemos que não estávamos ali para "julgar" ou "avaliar" os adultos responsáveis ou cuidadores, mas para conhecer as narrativas e expressões das crianças. Em todos os casos, nossos retornos constituíram importantes contribuições para os educadores locais.

Princípios: respeito, presença e comunicação

"Se esta rua fosse minha. Vamos ouvir as crianças"

Os princípios a seguir elencados foram resultado de um trabalho coletivo desenvolvido pela Comunidade do Mapa da Infância Brasileira, por ocasião da campanha "Se esta rua fosse minha. Vamos ouvir as crianças", de 2016, iniciativa de escuta realizada pelo grupo de ação do MIB[24]. Participaram desse movimento mais de 120 ativistas de diversas organizações sociais que atuam com crianças em comunidades, escolas, bairros, praças, parques, ruas, condomínios, cortiços e hospitais, em busca de metodologias de escuta infantil que abarquem as diversas infâncias presentes nos territórios de São Paulo.

O principal objetivo do processo foi mostrar a importância de escutar crianças e como cada iniciativa pode, em seu território, acolher as vozes e narrativas infantis, pois elas têm repertórios próprios e são atores das próprias vidas. A intenção foi estimular a participação social de crianças na construção de ambientes urbanos, expressando a vontade de saber o que elas sentiam, pensavam e desejavam para o lugar onde moravam.

A partir de provocações trazidas por palestrantes especialistas[25], representando a equipe de pesquisadores do Mapa da Infância Brasileira, foram tecidas reflexões que levaram à elaboração desses princípios e que mobilizaram os participantes a realizar processos de escuta junto a crianças de diversas comunidades e organizações da sociedade para saber, utilizando caminhos lúdico-criativos, o que elas queriam para seus territórios. Além das falas reflexivas de especialistas, o seminário deu espaço à construção coletiva

---

[24] Grupo integrado pelas seguintes organizações: Umapaz, Instituto 5 Elementos, Abrinquedoteca – Associação Brasileira de Brinquedotecas, Cidade Escola Aprendiz, Criadeira de Histórias, Projeto Infâncias, Instituto Alana, Instituto Elos e Movimento Boa Praça.

[25] Wellington Nogueira, Rodrigo Rubido, Renata Meirelles e Adriana Friedmann.

de metodologias para a realização dos processos de escuta. Os participantes puderam compartilhar suas diferentes experiências e agregar outras práticas de escuta, debatendo quais delas seriam mais viáveis para serem utilizadas no período determinado, que ocorreu durante os meses de setembro e outubro daquele ano. O encontro produziu uma síntese que elencou princípios para os processos de escuta das crianças, assim como um modelo de roteiro para as sínteses encaminhadas.

O grupo organizador analisou os diversos documentos recebidos e escolheu, dentre todas as informações, as que diziam respeito a localização territorial das iniciativas participantes, número e idades das crianças que se envolveram com esses depoimentos em cada território, além de temas e expressões infantis surgidos durante as escutas. Foram escolhidas algumas imagens dos processos de escuta, vídeos produzidos com depoimentos e atividades das crianças, bem como algumas produções infantis, dentre as quais músicas, poesias, cartas, textos, desenhos, brincadeiras, maquetes e outros.

Estes são os princípios para a escuta de crianças produzidos coletivamente, que socializo aqui para suscitar novas reflexões, debates e inspirar quem quiser se aventurar nesses processos:

- Olhos no olhos: ver o ser humano que está por trás deles.
- Pedir licença.
- Convergência simétrica com as crianças.
- Cocriação.
- Respeitar o tempo de cada criança, aplacar a ansiedade de quem escuta.

- Não julgar: aprender a olhar o mundo com os olhos das crianças.
- Trabalhar em duplas ou em trios: olhares que se complementam.
- Estar presente no momento, no aqui e agora.
- Surpreender-se, acolher o inusitado.
- Respeitar a diversidade cultural e de contextos.
- Menos é mais.
- Observar e escutar as diversas linguagens expressivas das crianças.
- Observar também o não verbal: o que elas têm para nos contar.
- Conversar com as crianças, dialogar, debater, sem necessariamente fazer entrevistas – considerar os saberes das outras linguagens.
- Confiar e aprender com a sabedoria das crianças
- Escutar a partir do espontâneo.
- Acreditar na potência de cada criança.
- Ouvir e acolher os sonhos, interesses e necessidades.
- Consciência do papel de quem escuta.
- Construção de vínculos.
- Adultos como ponte.

Formação de pesquisadores no Centro de Pesquisa e Formação do Sesc São Paulo

Desde 2010 venho formando pesquisadores em diversos contextos de cursos livres. Considerando sempre que se trata de processos nos quais apreender conceitos básicos sobre infância, multidisciplinaridade e antropologia são essenciais para, na sequência, ir a campo e refletir sobre ética e caminhos de escuta e observação.

A proposta apresentada ao Sesc São Paulo consistia na criação de um grupo de pesquisas orientado para o desenho e o desenvolvimento de processos de escuta, observação e pesquisas junto a crianças, a partir de temas de interesse, e junto a grupos infantis nos diversos contextos de atuação profissional dos participantes. Essas pesquisas foram aplicadas de forma individual nos grupos infantis escolhidos pelos pesquisadores, que receberam orientação permanente no decorrer de todo o processo. As produções e falas das crianças foram compartilhadas de forma coletiva e artigos de cada experiência foram produzidos. Os participantes passaram por uma mudança ética, atitudinal e metodológica ao longo do processo de desenvolvimento das pesquisas em escolas, creches, museus, comunidades indígenas, centros de convivência, acampamentos, centros de arte e cultura.

As pesquisas desenvolvidas[26]

Na pesquisa "A propósito da chuva: a criança, texto ou pretexto?", desenvolvida por Ziná Filler, a sensibilidade de vários profissionais das áreas de artes – neste caso, Ziná e sua experiência com a dança – facilitaram a abertura de olhares com relação às crianças e seus processos

---

[26] Adaptado da publicação *Observação e escuta de crianças: processos inspiradores para educadores*, 2018. Todas essas pesquisas estão disponíveis em shorturl.at/fLZ79.

criativos. A pesquisadora relatou quanto se surpreendeu com as descobertas feitas com relação às crianças durante o processo de escuta. De forma criativa, ela trouxe a metáfora da estrutura de uma peça de teatro, enredo a partir do qual percebeu o quanto é ético e primordial não só escutar e conhecer as crianças, como também dar a elas a devolutiva do que nós, pesquisadores, estamos ali a registrar e observar.

Massumi Guibu, em seus "Olhares atentos sobre lugares invisíveis: ou uma possível escuta de diálogos corporais", redescobriu, com sua sensibilidade e olhar apurados, as crianças – seus próprios alunos – e novos territórios, agora reconhecidos a partir dos olhares delas. A pesquisadora contribuiu com uma interessante metáfora: ela afirma que "perseguia" as crianças, no sentido de acompanhar seus percursos e experiências. E é bem disso que se trata esse papel do pesquisador de crianças. O relato da autora mostra como aconteceu o processo de sua própria transformação no decorrer da vivência do que seja uma escuta sensível, presente e conectada com elas e consigo mesma.

Auira Ariak descreveu em "Tempos de dentro, tempos de fora: reflexões feitas a partir da observação, escuta e registro de crianças no espaço da brinquedoteca do Museu do Folclore", a notável transformação que viveu no decorrer de seu processo de observação. Ela traçou, durante todo o curso e a experiência da pesquisa, profundas reflexões a este respeito: quanto essas pesquisas com crianças implicam uma grande mudança de postura e atitude de quem se pretende pesquisador. Essas experiências de escuta e observação também ensinaram que, a partir de brinquedos simples e conhecidos, há um imenso universo que foge ao nosso conhecimento e que esses espaços de escuta e de observação constituem a possibilidade de aprendermos mais a respeito das crianças.

Piéra Cristine Varin trouxe importante contribuição a partir de uma temática pouco trabalhada em "Culturas de trânsito: o que as crianças trazem de suas casas para a creche e o que levam da creche para suas casas". O que a autora desenvolveu – de forma apaixonada – durante o processo da pesquisa, nas suas próprias palavras, foi "dar voz para as crianças pobres, negras, periféricas e para as boas (e incríveis) experiências de infância que existem na escola pública e são pouco difundidas e levadas em conta quando o assunto é infância". Uma inspiradora antropóloga consciente do seu processo.

Maytê Amarante, em "Uma reflexão poética sobre se permitir afetar", aventurou-se na experiência de entrar em contato com suas próprias emoções e angústias no processo de se transformar em pesquisadora da infância. De forma profunda e transparente, ela compartilhou o desafio vivenciado durante todo o curso e a ida a campo. Um exemplo inspirador de quem realmente se deixou "afetar".

Outras pesquisas colocaram luz nas percepções dos pesquisadores no que diz respeito às crianças em suas diversas manifestações no decorrer dos processos de escuta e observação. No artigo "Projeto Férias na Natureza: encontros, descobertas e possibilidades de uma infância maior", Andrea Desiderio revelou-se a educadora física descobrindo, a partir de sua escuta e observações, que as próprias crianças são pesquisadoras e leitoras do mundo. Ela mostrou, no decorrer de seu texto, que não é somente o adulto a desvendar o simbolismo do mundo, mas também as crianças. Os subsequentes registros feitos por elas na lousa espelham "cartografias" extremamente interessantes.

Thais Harue Tanizaka descreveu em seu artigo "Dá a mão para seu amigo!: As fugas e os subterfúgios das crianças bem pequeninas no contexto da educação infantil", um sensível olhar que acompanhou algumas crianças em seus percursos autônomos dentro da creche e suas "transgressões", ignoradas pelas professoras e cuidadoras. Importante registro reflexivo para quem atua junto a crianças pequenas em instituições formais de educação e provocação para os educadores readequarem suas propostas a partir da escuta das crianças, suas necessidades, interesses e potenciais.

Fernanda Serra Tavares descreveu sensivelmente em "Crianças e a cidade: relato de uma caminhada como prática pedagógica" os percursos das crianças pelos seus territórios – o que descobrem, o que veem que os adultos não veem. Alturas, escalas, tempos diferentes. E, sobretudo, a importante experiência de viver a cidade como cidade educadora.

Maria da Penha Brant, em "Leva eu! Ou quando a mediadora é mediada", contribuiu com sua singular experiência que, já desde a escolha do local e do grupo de crianças com quem ela não tinha familiaridade, mostrou a importância e o cuidado fundamentais de conhecer, antecipadamente e a fundo, o contexto, a cultura e o perfil da população de crianças a ser observada. Mesmo com todos esses levantamentos, Maria da Penha tinha absoluta consciência da impossibilidade – quando se trata de desenvolver pesquisas com crianças – de planejar o que ali aconteceria, já que contar e confiar nos olhares delas em "confluência" com os da pesquisadora seria a bússola para a pesquisa ser a mais fidedigna possível.

Daniela Signorini Marcilio tratou do importante tema de gênero em seu artigo "O que crianças pequenas me disseram sobre bonecos(as)". No decorrer das observações, ela foi descobrindo a diferença entre fazer perguntas às crianças ou acompanhar seus movimentos e escolhas espontâneas. Papéis femininos ou masculinos preconcebidos socialmente foram indistintamente apropriados por meninos ou meninas em suas narrativas lúdicas.

Joyce Xavier Salustiano, em "As breves histórias de Vida e Morte: 'adeus pai, adeus mãe, adeus professora Joyce, adeus mundo cruel...'", descreveu as geografias e os vínculos que as próprias crianças lhe mostraram a partir de seus registros com seus bairros e relações. A pesquisadora inovou e avançou ao envolvê-las na pesquisa, esclarecendo a elas o que estava fazendo e aceitando os "sim, quero participar" e os "não, vou pensar, não agora".

Ketiene Moreira da Silva descreveu em "Bora testar? Brincadeiras e culturas infantis de crianças ribeirinhas em uma área de preservação ambiental no Amapá" uma singular experiência antropológica no universo da infância fora do seu conhecido cotidiano. A pesquisadora fez um recorte particular, em que apontou como as crianças pequenas ressignificavam a maternagem em uma comunidade ribeirinha.

Renata Pires Pinto indaga em "Processos de escuta e observação com crianças: uma experiência no Programa Curumim do Sesc Ipiranga" como as crianças, a partir de diferenças por vezes explícitas, conseguem se resolver, autorregular e conviver muito bem, independentemente dos seus universos múltiplos de origens socioeconômicas. A partir de uma apurada escuta, a autora aponta, dentre outros pontos, como se dão as amizades e as interações entre crianças de origens tão diversas. Mostra, em especial, a potência que espaços de educação não formal têm para trabalhar temáticas com e a partir da participação direta das crianças.

Em "Memórias de infância: fios que desenrolam a escuta do olhar", Beth Castro apoiou-se marcadamente em suas memórias de infância, a partir das quais conseguiu conectar-se com as crianças com quem interagiu.

> **PARA REFLETIR**
>
> As experiências com processos de escuta e pesquisas com crianças, como pôde ser corroborado pelos relatos dessa sessão, mostram a pluralidade de grupos infantis, caminhos de escuta e diversidade de realidades e de olhares, tanto das crianças e dos grupos observados quanto dos diferentes observadores e experiências de sua vivência e sensibilidade.
>
> Que esses exemplos de dar vez e voz às crianças possam inspirar educadores, cuidadores, pais e todos aqueles sensíveis às crianças e às infâncias. ∎

PERSPECTIVAS E DESAFIOS
Acolher conhecimentos e produções das crianças

Porque sem memória,
esquecemos quem somos.
Porque sem utopias,
acaba o mundo.
Porque sem sonhos,
morremos para a vida.
Porque sem escuta,
teremos que silenciar.

Alguns dos desafios a respeito da escuta e da observação de crianças que ainda precisam ser confrontados:

- Conhecer a complexidade das crianças, suas individualidades, escutando-as e observando-as permanentemente.
- Ter flexibilidade para atuar entre o individual e o coletivo: como escutar e respeitar a individualidade em grupos de vinte, trinta ou mais crianças.
- Ter jogo de cintura entre oferecer tempo livre – atividades autônomas, de livre escolha das crianças – e atividades direcionadas.
- Não engessar propostas.

- Não se antecipar aos processos e necessidades individuais das crianças.
- Evitar pressionar as crianças: respeitar seus ritmos pessoais.
- Não rotular ou realizar avaliações que comparem crianças entre si.
- Não expor crianças a situações, conteúdos ou atividades inadequadas.
- Pais e educadores se conectarem com as mensagens que se escondem por trás de agressividade, doenças, introversão, indiferença, choro, medo, de temáticas que aparecem em brincadeiras, desenhos etc.
- Valorizar e acolher o diferente, o singular, para incluir e dar espaço a todos e cada um dentro dos grupos.
- Abrir-se para aprender com as crianças que têm uma sabedoria própria, que nós, adultos, desconhecemos.
- Ter clareza dos valores: as crianças, em contato com tantas informações, confundem-se ou incorporam alguns desvios que, por não serem conversados, trabalhados, acabam sendo introjetados. A crise de valores não é somente delas, mas também dos adultos-cuidadores que precisam de orientação e informação sobre desenvolvimento infantil, valores, direitos, estimulando suas origens culturais.
- Escola, família e comunidade devem se unir na tarefa educacional, em diálogo permanente.
- Educadores e pais intermediarem de forma equilibrada as atividades das crianças – entre o mundo virtual, informações a que têm acesso, obrigações dentro de casa e na escola, atividades físicas, de lazer, desejos, limites e possibilidades.

- Estimular diálogos intersetoriais para possibilitar infâncias vividas de forma significativa e plena.
- Investir, de forma permanente, na formação e no autodesenvolvimento dos educadores e cuidadores.

Desafios dos profissionais

Considerando a situação da infância hoje, os novos paradigmas educacionais e a urgência de mudanças, os profissionais precisam:

- Passar por um processo de autoconhecimento, desenvolvimento e atualização permanentes.
- Trabalhar com as crianças tanto a transmissão de saberes quanto a formação integral, estimulando potenciais e criando oportunidades.
- Conhecer e propiciar a expressão de linguagens verbais e não verbais próprias das crianças (artes, brincar, movimento, música, poesia etc.).
- Transmitir o patrimônio cultural da humanidade, acolher a diversidade cultural das crianças, incentivar a produção e a ressignificação das culturas atuais.
- Escutar, observar, registrar, ler e recriar propostas adequadas, a partir das necessidades, interesses e potenciais de cada criança e de cada grupo.
- Criar espaços flexíveis.
- Adequar as atividades que respeitem ritmos, habilidades e necessidades de cada criança e de cada grupo.
- Dialogar com toda a equipe da instituição, pais, pensadores e especialistas e, principalmente, com as crianças.

- Estabelecer uma contínua dialética entre as imagens internas das crianças e as imagens que recebem do mundo à sua volta.

Não é possível garantir infâncias mais felizes para as crianças, mas, talvez, possibilitar infâncias vividas de forma mais significativa. Criar espaços e oportunidades para elas poderem brincar de forma autônoma, escolherem do que, com que e com quem querem brincar; tempos e espaços para expressarem suas fantasias, imaginação e criatividade por meio de suas diversas linguagens expressivas – arte, movimento, música etc. – propiciam pistas para os profissionais começarem a entender esses universos infantis.

> **PARA REFLETIR**
>
> Crianças têm necessidade
> de momentos de troca
> e momentos de solidão.
> Momentos de ficar quietas,
> momentos de se movimentar.
> Momentos de falar, tocar um instrumento, modelar ou pintar.
> Momentos de brincar com palavras,
> com seus corpos, com objetos ou brinquedos. ∎

Reflexões finais e início de outras conversas...

Empreendi, na última década, pesquisas e cursos de formação e orientação de pesquisadores para que pudessem levar às suas práticas os desafios de observar, escutar e compreender as mensagens que crianças de diferentes contextos e culturas nos apontam, a partir das suas expressões verbais e não verbais.

Fui marcadamente influenciada pelos estudos realizados por teóricos da antropologia da infância a partir de um mergulho profundo na compreensão da transcendência desses estudos para iniciar diálogos com outras áreas de conhecimento – que têm seus olhares e ações voltados para as infâncias – a partir do desenho de inúmeros processos de formação e pesquisas desenvolvidos em faculdades e em muitas outras organizações voltadas para a infância e/ou atuando junto a crianças; a partir de publicações, pesquisas, palestras e consultorias nessa área de conhecimento, desses conceitos importantíssimos que precisam dialogar e ser compreendidos por educadores.

O desenvolvimento desses processos e a elaboração dos desenhos de caminhos e possibilidades de escuta e reconhecimento dos repertórios e saberes das crianças vêm corroborando o fato de ser esse um campo de conhecimento que está dando seus primeiros passos. É arriscado e delicado que essas escutas comecem a se tornar "moda" e, portanto, nos cabe desenvolvê-las, aprofundá-las e assumir a responsabilidade de, com os resultados e produções obtidos, construir novos conhecimentos, originados pelas vozes e expressões das próprias crianças.

Todas essas linguagens precisam ser conhecidas pelos profissionais, para que possam criar oportunidades para as crianças serem crianças nos seus tempos certos de viverem suas infâncias.

> **PARA REFLETIR**
>
> A nossa vida é uma longa e profunda trajetória que nos desafia

pela nossa herança
pela nossa cultura
e pelas possíveis escolhas que fazemos dia a dia
Encruzilhadas cotidianas que nos constituem.
Historicamente crianças eram indivíduos sem voz, sem direitos, consideradas "tábulas rasas".
Hoje, aprendemos que as crianças são portadoras de emoções, vontades, potências e histórias.
Temos tudo a aprender sobre elas, com elas.
Novas histórias se anunciam
e as crianças são as autoras.
E, nós, adultos,
ávidos leitores e aprendizes! ∎

POSFÁCIO

Carta de uma criança que ainda há de ser[27]

A você que sei que me ama tanto, mas às vezes não me
[compreende
A você que quer acertar, mas tem tanto medo de errar
A você que passa por mim sem se deter
E quando vai perceber, eu já não sou mais criança
Olha no meu olho
Me escuta
Senta aqui do meu lado
Tira o relógio e fica por alguns instantes no meu tempo
Vou te contar...

Eu sinto   À flor da pele
                 Segurança quando você me abraça, quando
                     me beija e me aconchega, quando conta
                     uma história e canta para mim.
                 Alegria quando você está comigo, olha
                     para mim, brinca comigo.

---

27 Publicada originalmente em 2013 nos meus livros *Caminhos para uma aliança pela infância* e *O universo simbólico da criança*.

Tristeza quando as pessoas à minha volta brigam, me colocam de castigo.
Medo de escuro, de gritaria, de balas, de bombas, de ficar só, de perder você.
Me sinto perdido quando ninguém me entende, as pessoas não prestam atenção em mim, quando saio da minha estrada.
Preso, afogado, reprimido quando não posso dizer o que penso, ou fazer o que quero, quando sou violentado com palavras, agressões físicas ou restrições.
Livre quando posso ser eu mesmo, fazer o que sinto, o que penso, o que quero, como posso e como quero.
Confuso quando você faz uma coisa, mas diz outra.

Eu penso Por mim mesmo.
Que as crianças precisam de mais atenção...
Que os jovens precisam de mais compreensão...
Que os adultos precisam de olhos para ver e enxergar mais longe, e enxergar mais perto do coração; e de ouvidos mais apurados; e de um coração mais aberto; e tocar, dançar, cantar...
Que tem tanta coisa errada e tantos problemas...
Que temos muita luz, mas...

Que estamos mergulhados na escuridão.
Que as pessoas não pensam: jogam o lixo onde não devem, matam, se matam.

Eu quero Mais...
Brincar.
Dizer o que penso.
Fazer o que quero.
Saber até onde posso.
Você junto de mim.
Meus amigos por perto.
Ouvir histórias.
Verdade.
Ter mais... a sua atenção.
Transformar este mundo.
Fazer um novo Atlas da vida...

Eu vivo Brinco.
Pinto, desenho, modelo.
Jogo.
Faço de conta que...
Viajo a outros mundos.
Peço que...
Pesquiso e descubro o mundo.
Amo.
Brigo.
Sobrevivo.
Reajo para não ser machucado.
Fico doente de tristeza, de raiva, de medo.
Apronto para ser e aparecer.

             Bebo, me drogo para fazer de conta que...
                ou para fugir...

Eu estou   Num mundo estranho...
             Num mundo de imagens.
             Num mundo virtual.
             Num mundo poluído.
             Num mundo em guerra (que muitas vezes
                começa na sala da minha casa).
             Num mundo de medo.
             Neste mundo...

Eu digo   Do meu jeito.
             Pintando.
             Brincando.
             Dançando.
             Sonhando.
             Cantando.
             Olhando.
             Escrevendo.
             Ficando em silêncio...
             Gritando.
             Chorando.

Eu vejo   Coisas que só eu vejo.
             Por meio de você.
             Um mundo invisível.
             O que você já esqueceu...

Eu preciso   De amor.
　　　　　　　De alimento.
　　　　　　　De descanso.
　　　　　　　De sonhos.
　　　　　　　De luz.
　　　　　　　De calor.
　　　　　　　Ver e enxergar.
　　　　　　　Ouvir e escutar.
　　　　　　　Tocar e sentir.
　　　　　　　Tentar e experimentar.
　　　　　　　Errar.
　　　　　　　Ter coragem, ultrapassar.
　　　　　　　Aprender.
　　　　　　　Compreender.
　　　　　　　Crescer.
　　　　　　　Estar.
　　　　　　　Ser.
　　　　　　　De você.

Eu peço   Olhe para mim e me veja por dentro.
　　　　　　Me ouça e tente me entender.

Eu sou   Assim mesmo.
　　　　　　Criança.
　　　　　　Jovem.
　　　　　　Inteiro.
　　　　　　Eu sou.

E você?

PARA SABER MAIS
Iniciativas inspiradoras que dão vez e voz às crianças

Iniciativas no Brasil

- **Casa Redonda**
  Espaço na natureza, aberto ao encontro sensível com a vida presente nas crianças, jovens e adultos.
  http://acasaredonda.com.br/

- **Cidadeiras**
  Projeto de narrativas urbanas.
  https://www.cidadeiras.com.br/

- **Conferência Sesc Curumim**
  https://www.youtube.com/watch?time_continue=2&v=EA5i1u33YXY
  https://www.sescsp.org.br/online/artigo/13160_CONFERENCIA+CURUMIM+CRIANCAS+RESPONDEM

- **Coleção das crianças daqui**
  Releitura de histórias de vida de crianças transformadas em contos ilustrados em diversas regiões do Brasil.
  http://www.conselhodacrianca.al.gov.br/sala-de-imprensa/galeria-de-videos/colecao-das-criancas-daqui

- **Conselhos participativos**
  http://www.saopaulo.sp.leg.br/blog/lancado-na-camara-conselho-mirim-pretende-dar-voz-as-criancas/

- **Cores da paz pelas crianças do Brasil**
  Pinturas coletivas para expressar o sentimento e compreensão da não violência e cultura de paz.
  https://docs.wixstatic.com/ugd/27072f_fdef8e1657442f1b164d8c65ac84a7b0.pdf

- **Criacidade: vamos ouvir as crianças**
  Brinquedos e espaços idealizados com as crianças – o que querem para seu bairro, para seu território.
  https://www.atados.com.br/ong/criacidade

- **Crianças indígenas** (Paula Mendonça)
  Relato da infância das crianças Yudja do Xingu, no Mato Grosso.
  https://www.youtube.com/watch?v=MX0u77Ykop8

- **Criativos da Escola**
  Projeto que coloca crianças como protagonistas de suas próprias histórias de mudança.
  https://criativosdaescola.com.br/

- **Desenhos das crianças da Maré**
  https://oglobo.globo.com/rio/criancas-da-mare-entregam-cartas-desenhos-justica-do-rio-pedindo-menos-violencia-na-comunidade-23874442

- **Diários visuais**
  http://www.revistacapitolina.com.br/arte-mais-intima-diario-visual/

- **Diversidade de espaços lúdicos, artísticos e expressivos**
  Arte, narrativas diversas, música, brincadeiras, onde as crianças são protagonistas.
  https://jornaljoca.com.br/portal/conheca-7-espacos-culturais-para-criancas-no-brasil

- **EMEI Dona Leopoldina**
  Participação democrática de crianças nas decisões da escola.
  https://educacaointegral.org.br/metodologias/gestao-democratica-como-escutar-criancas-na-escola

- **Escola Amorim Lima**
  Escola transformada na qual toda comunidade se engaja na construção do projeto pedagógico.
  https://amorimlima.org.br

- **Escola da Ponte (Portugal), Amorim Lima, Projeto Âncora (São Paulo)**
  Escolas sem muros que funcionam por projetos misturando crianças de diversas faixas etárias em grupos de interesse.
  https://www.projetoancora.org.br
  http://www.escoladaponte.pt/novo/projetos

- **Fundação Casa Grande**
  Centro educacional e cultural onde são as crianças quem tomam conta, têm uma rádio, cuidam da biblioteca e da casa toda.
  https://blogfundacaocasagrande.wordpress.com
  http://www.scielo.br/scielo.php?script=sci_arttext&pid=S0102-46982012000300005

- **Instituto Elos**
  Grupo que mobiliza e impacta comunidades a partir de soluções inovadoras.
  https://institutoelos.org/

- **Instituto Fazendo História**
  Programa que oferece meios de expressão para que cada

criança ou adolescente acolhido conheça e se aproprie de sua história de vida.
https://www.fazendohistoria.org.br/fazendo-minha-historia

- **Mapa da Infância Brasileira**
Pesquisas de iniciativas voltadas para as infâncias.
https://www.facebook.com/mapainfanciabrasileira/

- **Miradas**
Documentário que mostra um caminho de observação fenomenológico, dentro do Programa Território do Brincar.
https://www.videocamp.com/pt/movies/miradas

- **Movimentos de criação e promoção de jogos cooperativos**
Iniciativas de grupos que acontecem em escolas, universidades e outras organizações sociais.
https://cooperamosnaescola.wordpress.com,
http://repositorio.unicamp.br/bitstream/REPOSIP/274877/1/Brotto_FabioOtuzi_M.pdf

- **Movimento "Se esta rua fosse minha. Vamos ouvir as crianças"**
https://portal.aprendiz.uol.com.br/2016/08/29/uma-cidade-educadora-e-aquela-que-escuta-suas-criancas/

- **OCA Carapicuíba**
Desenvolve atividades com crianças e jovens para garantir o seu desenvolvimento integral por meio da arte e cultura brasileira.
https://ocaescolacultural.org.br/

- **Pedagogia da Emergência**
Grupo que atua em situações e regiões em estado emer-

gencial junto a crianças e jovens feridos emocionalmente.
http://pedagogiadeemergencia.org/

- **Pedagogia da Roda**
  ONG que incentiva a participação de crianças e jovens utilizando a roda como dispositivo educacional.
  http://www.cpcd.org.br/tiao-rocha/

- **Prêmio Paulo Freire de Qualidade do Ensino Municipal**
  http://www.acervo.paulofreire.org:8080/jspui/bitstream/7891/4620/1/FPF_PTPF_10_0007.pdf

- **Prêmios de Participação Infantil, Centro de Criação de Imagem Popular**
  http://www.cecip.org.br/site/wp-content/uploads/2016/10/Publicacao-Mapeamento-2016_FINAL.pdf

- **Projeto Cooperação**
  https://projetocooperacao.com.br/

- **Projeto Infâncias**
  Projeto que registra a vida de crianças em diferentes lugares do país.
  https://projetoinfancias.com.br/site/

- **Projeto Saúde e Alegria**
  Iniciativa que atua na Amazônia brasileira promovendo e apoiando processos participativos de desenvolvimento comunitário.
  http://www.saudeealegria.org.br/?page_id=1385

- **Sonhos** (Roberto Gambini)
  Pesquisa realizada a partir de sonhos infantis em uma escola particular de São Paulo, em uma favela no Rio e Janei-

ro e na tribo dos Kamaiurá no Parque Nacional do Xingu.
https://www.youtube.com/watch?v=ND9Kto-hev4

- **Tecendo Saberes**
  Registro de vozes e culturas de crianças de comunidades indígenas.
  http://www.tecendosaberes.com

- **Território do Brincar**
  Trabalho de escuta, intercâmbio de saberes, registros e difusão da cultura infantil.
  https://territoriodobrincar.com.br/brincadeiras-pelo-brasil

- **Vozes da Cidade**
  http://www.avante.org.br/voze-de-criancas-e-adolescentes-da
  -cidade-de-salvador-colaboram-com-criacao-de-comite-de
  -prevencao-a-violencia

- **Vozes da Infância Brasileira da Comunidade de Aprendizagem Mapa da Infância Brasileira (VIB)**
  Escuta de crianças em diversos grupos e contextos infantis.
  https://www.nepsid.com.br/untitled

Pesquisas, formação e publicações

- **Centro de Investigações sobre o Desenvolvimento Humano e a Educação Infantil (Cindedi)**
  http://www.cindedi.com.br/videos

- **Curso de pesquisas com crianças**
  Ministrado por Adriana Friedmann no Centro de Pesquisa e Formação, Sesc São Paulo. Publicação fruto das pesqui-

sas desenvolvidas no curso.
https://www.academia.edu/36620650/Escuta_e_observa%-C3%A7%C3%A3o_de_crian%C3%A7as_processos_inspiradores_para_educadores

- **Curso de pós-graduação *lato sensu*
  "A vez e a voz das crianças"**
  Criado e coordenado por Adriana Friedmann.
  https://acasatombada.com.br/a-vez-e-a-voz-das-criancas

- **Pesquisa Infância e Violência**
  Desenvolvido pelo sociólogo Hermílio Santos.
  http://www.pucrs.br//wp-content/uploads/includes_ascom/centros/caes/caes-infancia_e_violencia-recife-volume_sintese.pdf

- **Núcleo de Estudos e Pesquisas em Simbolismo, Infância e Desenvolvimento (NEPSID)**
  Pesquisas coordenadas por Adriana Friedmann.
  www.nepsid.com.br

- **Plataforma de Pesquisas da Casa Tombada**
  Referências, artigos, sites e livros sobre escuta e pesquisas com crianças.
  http://plataformapesquisas.acasatombada.com.br/

- **Quem está na escuta**
  Publicação do Mapa da Infância Brasileira.
  https://www.academia.edu/36620564Quem_est%C3%A1_na_escuta_-_Di%C3%A1logos_reflex%C3%B5es_e_trocas_de_especialistas_que_d%C3%A3o_vez_e_voz_%C3%A0s_crian%C3%A7as

- **Rede Nacional pela Primeira infância (RNPI)**
  Participação infantil.

Iniciativas em outros países

- **Casa das estrelas de Javier Naranjo** (Colômbia)
  Livro sobre "dizeres" de crianças.
  https://www.otraparte.org/actividades/literatura/casa-estrellas-2.html

- **Children Led Planning** (Índia)
  História da comunidade, passeios, mapas afetivos.
  https://www.citylab.com/life/2015/02/kids-are-sparking-urban-planning-changes-by-mapping-their-slums/385636/

- **Centro de Investigação em Estudos da Criança** (Portugal)
  Universidade de Minho, Manuel Sarmento.
  https://www.ie.uminho.pt/pt/investigacao/Paginas/CIEC.aspx

- **Centro em Rede de Investigação em Antropologia – CRIA** (Portugal)
  Ângela Nunes.
  http://cria.org.pt/wp/

- **Diários visuais** (África)
  Diário de campo Sandra Eckshmidt com experiência de observação de crianças.
  https://www.ndiphilile.com.br/

- **Greve Mundial pelo Clima**
  Iniciativa de crianças pelo mundo.
  https://fridaysforfuturebrasil.org/

- **Infant** (Peru)
  ONG formada por crianças e jovens que atuam na defesa dos seus direitos.
  https://www.infant.org.pe

- **Pequeños Grandes Mundos** (Argentina)
  Desenhos de crianças contando das suas vidas na América Latina. Projeto desenvolvido por dois professores argentinos em 32 países.
  http://pequeniosgrandesmundos.org/proyecto

- **Sanatoplay** (África)
  Pesquisas na África do antropólogo belga Jean-Pierre Rossie.
  http://www.sanatoyplay.org/francais/fr-collectionjouets.htm

- **Te Re-Creo** (Colômbia)
  https://www.eltiempo.com/archivo/documento/CMS-12986459
  https://www.youtube.com/watch?v=VTI8xwUXQio

Referências bibliográficas

ALVIM, M. R. B.; VALLADARES, L. P. Infância e sociedade no Brasil: uma análise da literatura. *Boletim Bibliográfico e Informativo de Ciências Sociais*, Rio de Janeiro, n. 26, pp. 3-43, ago. 1988.

ARIÈS, P. *L'enfant et la vie familiale sous l'Ancien Régime*. Paris: Plon/ Point Seuil, 1960.

_____. *História social da criança e da família*. Rio de Janeiro: Livros Técnicos e Científicos, 1981.

BACHELARD, G. *A poética do espaço*. São Paulo: Martins Fontes, 2000.

_____. *A poética do devaneio*. São Paulo: Martins Fontes, 1998.

BASTIDE, R. Nota explicativa. In: FERNANDES, F. *Folclore e mudança social na cidade de São Paulo*. 3. ed. São Paulo: Martins Fontes, 2004.

_____. Prefácio. In: FERNANDES, F. *Folclore e mudança social na cidade de São Paulo*. 3. ed. São Paulo: Martins Fontes, 2004.

BATESON, G. Rumo a uma epistemologia da comunicação. *Ciberlegenda*, Rio de Janeiro, n. 5, 2001.

BAUMAN, Z. *Vida líquida*. Rio de Janeiro: Zahar, 2007.

BENEDICT, R. *The chrysanthemum and the sword*. Boston/Massachusetts: Houghton/Mifflin, 1946.

BENJAMIN, W. *Reflexões: a criança, o brinquedo, a educação*. São Paulo: Summus, 1984.

_____. *Charles Baudelaire: um lírico no auge do capitalismo*. São Paulo: Brasiliense, v. 3, 1989 (Col. Obras Escolhidas).

_____. *Rua de sentido único e infância em Berlim por volta de 1900*. Lisboa: Relógio D'Água, 1992 (Col. Obras Escolhidas).

_____. *Sobre arte, técnica, linguagem e política*. Lisboa: Relógio D'Água, 1992. (Col. Obras Escolhidas).

BOFF, L. *Saber cuidar*. Petrópolis: Vozes, 1999.

BOSI, E. *Memória e sociedade: lembrança de velhos*. 2. ed. São Paulo: T.A. Queiroz, 1994.

BRAZELTON, B.; JOSHUA S. *Três a seis anos: momentos decisivos do desenvolvimento infantil*. Porto Alegre: Artmed, 2003.

BUTLER, I. *A case of neglect?: children's experiences and the sociology of childhood*. London: Routledge, 1996.

CEBRAP. *A criança, o adolescente e a cidade*. São Paulo: Relatório de Pesquisa, 1972.

COHN, C. *Antropologia da criança*. Rio de Janeiro: Jorge Zahar, 2005.

CORSARO, W. A. *The sociology of childhood*. California: Pine Forge Press, 1997.

CYRULNIK, B. *O patinho feio*. São Paulo: Martins Fontes, 2004.

____; MORIN, E. *Diálogo sobre a natureza humana*. São Paulo: Palas Athena, 2013.

DAMÁSIO, A. *O erro de Descartes*. Sintra/Lisboa: Europa-América, 1994.

DEL PRIORE, M. *História das crianças no Brasil*. São Paulo: Contexto, 1999.

DE MAUSE, L. *The evolution of childhood*. New York: The Psychohistory Press, 1974.

____. *Historia de la infancia*. Madrid: Alianza Universidad: 1991.

DENZIN, N. *Childhood socialization*. New Jersey: Transaction Publishers, 1977.

DURAND, G. *A imaginação simbólica*. São Paulo: Cultrix/Edusp, 1988.

____. *O imaginário*. Rio de Janeiro: Difel, 2004.

____. *As estruturas antropológicas do imaginário*. Lisboa: Presença, 2007.

DURKHEIM, É. *Sociologia, educação e moral*. Portugal: Rés, 1984.

ELKIND, D. *Sem tempo para ser criança: a infância estressada*. Porto Alegre: Artmed, 2004.

EVANS-PRITCHARD, E. *Os Nuer*. São Paulo: Perspectiva, 1978.

FERNANDES, F. As "trocinhas" do Bom Retiro. *Pró-Posições*, v. 15, n. 1, pp. 229-50, jan.-abr. 2004. Disponível em: https://periodicos.sbu.unicamp.br/ojs/index.php/proposic/article/view/8643855. Acesso em: 20/12/2019.

____. *Folclore e mudança social na cidade de São Paulo*. 2. ed. Petrópolis: Vozes, 1979.

FORTES, M. Introdução. In: GOODY, J. (ed.). *The development cycle in the domestic groups*. Cambridge: Cambridge University Press, 1958.

FREIRE, P. *Pedagogia da indignação*: cartas pedagógicas e outros escritos. São Paulo: Unesp, 2000.

____; FAUNDEZ, A. *Por uma pedagogia da pergunta*. Rio de Janeiro: Paz e Terra, 1985.

FRIEDMANN, A. Vozes da infância brasileira. In: D'ÁVILA C.; FORTUNA, T. (org.). *Ludicidade, cultura lúdica e formação de professores*. Curitiba: CRV, 2018.

____ (org.). *Observação e escuta de crianças: processos inspiradores para educadores*. São Paulo: Centro de Pesquisa e Formação Sesc, 2018.

____. Vozes da infância brasileira. In: NASCIMENTO, M. L.; GOBBI, M. A. (org.). *Infâncias sul-americanas: crianças nas cidades, políticas e participação*. São Paulo: Faculdade de Educação da Universidade de São Paulo, 2017.

____. *Protagonismo infantil*. São Paulo: Ashoka/Alana, 2017.

____. "A arte de adentrar labirintos infantis". In: *Quem está na escuta –* Mapa da Infância Brasileira, 2016.

____. *O olhar antropológico por dentro da infância*. São Paulo: Instituto Alana, 2015.

____. *Linguagens e culturas infantis*. São Paulo: Cortez. 2013.

____. *O brincar na Educação Infantil: observação, adequação e inclusão*. São Paulo: Moderna, 2013.

____. *Guia dos voluntários: o direito de brincar*. São Paulo: Instituto C&A, 2013.

____. *Paisagens infantis: uma incursão pelas naturezas, linguagens e culturas das crianças*. Tese (Doutorado em Antropologia). São Paulo, Faculdade de Ciências Sociais da Pontifícia Universidade Católica, 2011.

____. História do percurso da sociologia e da antropologia da infância. *Revista Veras*, São Paulo, v. 1, n. 2, 2011.

____. Ser criança hoje é... *Folhinha*, São Paulo, 6 out. 2007.

____. *O brincar no cotidiano da criança*. São Paulo: Moderna, 2006.

____. *O desenvolvimento da criança através do brincar*. São Paulo: Moderna, 2006.

_____. *O universo simbólico da criança: olhares sensíveis para a infância*. Petrópolis: Vozes, 2005.

_____. *Dinâmicas criativas: um caminho para a transformação de grupos*. Petrópolis: Vozes, 2004.

_____. *O direito de brincar: a brinquedoteca*. São Paulo: Fundação Abrinq, 1992.

_____. *A arte de brincar*. São Paulo: Scritta, 1992.

_____; CRAEMER, U. (org.). *Caminhos para uma Aliança pela Infância*. São Paulo: Aliança pela Infância, 2003.

GALEANO, E. *Patas arriba: la escuela del mundo al revés*. Uruguay: Siglo XXI Ediciones, 1999.

GOODY, J. (ed.). *The development cycle in the domestic groups*. Cambridge: Cambridge University Press, 1958.

GRAHAM, A.; POWELL, M.; TAYLOR, N.; ANDERSON, D.; FITZGERALD, R. *Investigación ética con niños*. Firenze: Unicef/Centro de Investigaciones Innocenti, 2013.

GREENSPAN, S. I.; BRAZELTON, B. *As necessidades essenciais das crianças*. Porto Alegre: Artmed, 2002.

HARDMAN, C. Can there be an Anthropology of Children?. *Childhood*, London, v. 8, n. 4, pp. 501-17, 2001.

HILLMAN, J. *Cidade e alma*. São Paulo: Nobel, 1993.

_____. *O código do ser*. Rio de Janeiro: Objetiva, 2007.

HIRSCHFELD, L. Why don't anthropologists like children?. *American Anthropologist*, v. 104, n. 2, pp. 611-27, jun. 2002.

ITURRA, R. *O saber sexual das crianças. Desejo-te porque te amo*. Porto: Afrontamento, 2000.

JAMES, A.; JENKS, C.; PROUT, A. (org.). *Theorizing childhood*. London: Plity, 2002.

JAMES, A.; PROUT, A. (org.). *Constructing and reconstructing childhood: contemporary issues in the sociological study of childhood*. London: The Palmer Press, 1990.

JAVEAU, C. Criança, infância(s), crianças: que objetivo dar a uma ciência social da infância? *Educação e Sociedade*, Campinas, v. 26, n. 91, pp. 379-89, 2005.

JENKS, C. *The sociology of childhood: essential readings*. Hampshire: Gregg Revivals, 1982.

JOBIM E SOUZA, S. (org.). *Subjetividade em questão: a infância como crítica da cultura*. Rio de Janeiro: 7 Letras, 2000.

KOHAN, W. O. Paulo Freire: outras infâncias para a infância. *Educação em Revista*, Belo Horizonte, v. 34, 2018. Disponível em: https://dx.doi.org/10.1590/0102-4698x199059. Acesso em: 20 dez. 2019.

KRAMER, S. Autoria e autorização: questões éticas nas pesquisas com crianças. *Cadernos de Pesquisa*, São Paulo, n. 116, pp. 41-59, jul. 2002.

_____; LEITE, M. I. *Infância: fios e desafios da pesquisa*. Campinas: Papirus, 1996.

LÉVI-STRAUSS, C. *Mythologiques IV: l'homme nu*. Paris: Plon/Point Seuil, 1971.

_____. *O cru e o cozido*. São Paulo: Cosac Naify, 2004.

_____. *Olhar, escutar, ler*. São Paulo: Companhia das Letras, 1997.

LOPES DA SILVA, A.; NUNES, A.; MACEDO, A. V. *Crianças indígenas: ensaios antropológicos*. São Paulo: Global, 2002.

MAFFESOLI, M. *O mistério da conjunção*. Porto Alegre: Sulina, 2005.

MALINOWSKI, B. *Argonautas do Pacífico Ocidental*. London: Routledge & Kegan Paul, 1922.

MAPA da Infância Brasileira. *Quem está na escuta?* São Paulo: 2016.

_____. *Vamos ouvir as crianças*. São Paulo: 2017.

MEAD, M. *Adolescencia y cultura en Samoa*. Barcelona: Paidós, 1971.

MEIRELLES, R. *Águas infantis: um encontro com brinquedos e brincadeiras da Amazônia*. Dissertação (Mestrado em Educação). São Paulo, Faculdade de Educação da Universidade de São Paulo, 2007.

MOORE, T. *El cuidado del alma*. Barcelona: Urano, 1993.

MORIN, E. *Os sete saberes necessários à educação do futuro*. São Paulo: Cortez, 2000.

_____. *O método 6: ética*, Porto Alegre: Sulina, 2005.

MOURITSEN, F.; QVORTRUP, J. *Childhood and children's culture*. Odense: University Press of Southern Denmark, 2002.

NUNES, A. *Brincando de ser criança: contribuições da etnologia indígena brasileira à antropologia da infância*. Tese (Doutorado em Antropologia). Lisboa: Instituto Universitário de Lisboa, 2003.

OPIE, I.; OPIE, P. *Children's games in street and playground*. New York: Oxford, 1984.

PARSONS, T. *The social system*. London: Routledge & Kegan Paul, 1951.

PIAGET, J. *A formação do símbolo na criança: imitação, jogo e sonho, imagem e representação*. Rio de Janeiro: Zahar, 1978.

PINTO, M.; SARMENTO, M. J. (org.). *As crianças: contextos e identidades*. Braga: Centro de Estudos da Criança/Universidade do Minho, 1997.

POSTMAN, N. *O desaparecimento da infância*. Rio de Janeiro: Graphia, 1999.

PRITCHARD, E. *Nuer religion*. Oxford: Oxford University Press,1956.

PROUT, A. *Reconsiderar a nova sociologia da infância*. Braga: Universidade do Minho, 2004.

QVORTRUP, Jens. Childhood as a social phenomenon. An introduction to a series of national reports. *Eurosocial Report*, Vienna, n. 36, 1990. 39 p.

RIZZINI, I. *Assistência à infância no Brasil: uma análise de sua construção*. Rio de Janeiro: Editora Universitária Santa Úrsula, 1993.

ROSSIE, J. P. *Toys, play, culture and society: an anthropological approach with reference to North Africa and the Sahara*. Stockholm: Sitrec, 2005.

SARMENTO, M. J. *O estudo de caso etnográfico em educação*. Braga: Instituto de Estudos da Criança/Portugal: Universidade do Minho, 2003.

_____; CERISARA, A. B. *Crianças e miúdos: perspectivas sociopedagógicas da infância e educação*. Portugal: Asa, 2004.

SCHWARTZMAN, H. B. *Transformations: the anthropology of children's play*. New York: Plenum Press, 1978.

SCOZ, B. (org.). *(Por) uma educação com alma*. Petrópolis: Vozes, 2000.

SIROTA, R. Emergência de uma sociologia da infância: evolução do objeto e do olhar. *Cadernos de Pesquisa*, São Paulo, n. 112, pp. 7-31, mar. 2001.

STEINER, R. *Os doze sentidos e os sete processos vitais*. São Paulo: Antroposófica, 2012.

TOREN, C. *Making sense of hierarchy: cognition as social process in Fiji*. London: Athlone Press, 1990.

_____. *Mind, materiality and history: explorations in Fijian ethnography*. London/New York: Routledge, 1999.